新TOEIC®TEST
出る順で学ぶ
ボキャブラリー990

英文校正	Daniel Warriner
編集協力	横山弘二
ナレーション	Carolyn Miller James House
録音編集	㈶英語教育協議会

新TOEIC® TEST
出る順で学ぶ
ボキャブラリー990

神崎正哉

CD付き

TOEIC is a registered trademark of Educational Testing Service (ETS).
This publication is not endorsed or approved by ETS.

講談社

はじめに

　本書はTOEICでよく使われる語句を、効率よく身に付けることを目標にしています。TOEICのスコアアップのために、**最小限の時間で最大限の効果を生むTOEIC専門の単語集**です。TOEICに向けた語彙力養成に役立てください。

　TOEICは語彙力が重要です。特に初級学習者の場合、問題中に使われている語句の意味がわからないから解けないということがよくあります。そのような方はまずは、語彙力を固めることから始めましょう。TOEICでよく使われる語句をマスターすることで解ける問題の数が増えていきます。

　本書は990の見出し語にそれぞれ例文が付いています。990の例文には、総計約7500語、重複を省くと約2200語が使われています。また、補足説明中には、例文に出ていない語が約1100語収録されています。

　この合計約3300語をマスターすれば、TOEICの問題を解くのが非常に楽になります。それはこの約3300語が実際のTOEICで使われる語句を高い割合でカバーしているからです。市販されている模擬問題集の中で、実際のTOEICに一番近いのは、TOEICの制作機関であるETSが問題を提供した「TOEIC®テスト新公式問題集」「TOEIC®テスト新公式問題集Vol.2」「TOEIC®テスト新公式問題集Vol.3」(以上、国際ビジネスコミュニケーション協会)です。この3冊に収録されている6セットの模擬テストで使われている約55000語について調べたところ、**本書の約3300語は、全体の約95%をカバー**していました。

　TOEICの問題には毎回、同じような語句が使われるので、実際のTOEICでも総使用語数の90%以上はカバーされるはずです。

そのくらいの語彙力があれば、860点は十分狙えます。

　単語の覚え方について提案があります。単語の意味を覚えて終わりにするのではなく、音声CDを使って、**例文を声に出して言う練習**（Listen & Repeat）を繰り返し行ってください。
　耳から入れた英語を、真似して口から出す練習をすることで英語の音のパターンを体で覚えることができ、英語が聞き取りやすくなります。TOEICはリスニングの配点が高いので、リスニング力が付くとスコアアップに直結します。
　また、英語を口から出す練習をすると英文の構造のパターンを体に染み込ませることができます。そこで英語の感覚も養われます。さらに、声に出すことで例文中の語句をよく覚えることができます。何回も声に出して言う練習をすると例文自体を自然に覚え、日本語を介することなく意味がわかるようになります。
　本書では上記のListen & Repeatの練習が効果的に行えるように、**例文を工夫して作りました**。まず、繰り返して言いやすいように例文の長さを短くしてあります。ほとんどの例文は10語以下で、平均7.5語になっています。
　しかも、**見出し語をTOEIC®テストで使われる形（表現／フレーズ）で例文を作成しました**。英単語は、日本語の意味だけ覚えていても意味がありません。本書の例文を使って、前後の組み合わせも含めて覚えるようにしてください。必ずTOEIC®テスト本番でのスコアにつながります。
　また、声に出したとき自然に流れるように話し言葉中心にしました。堅く重苦しい文章はありません。さらに音がきれいに聞こえるように、リズムと音の繰り返しを意識しました。例えばこんな感じです。

She's passing out some papers.

　アクセントの弱い部分と強い部分が交互に入り、軽快なリズム

を作っています。また、/s/と/p/の音が数回繰り返されて、耳に心地よい音になります。短く、自然な口語で、音がきれいな例文を使ってListen & Repeatの練習を繰り返せば、大きな効果があります。

　私の運営するTOEIC Blitz Blog（http://toeicblog.blog22.fc2.com/）でListen & Repeat用の音声ファイル（音声＋ポーズの繰り返し）を用意する予定です。本書付属の音声CDに加えそちらもご利用ください。

　最後に、本書の監修をしてくださった宮城大学准教授の鶴岡公幸先生、英文の校正をしてくれたDaniel Warriner氏、本書の制作にご尽力をいただいた講談社の丸木明博生活文化局局長と浜野純夫部長、企画から編集までまとめてくださった編集者の齋藤太郎氏、そして私をTOEICの専門家に育てくれたエッセンス イングリッシュ スクールの中村紳一郎学校長とSusan Anderton副学校長に深く感謝いたします。

神崎正哉

もくじ

はじめに 4

本書の使い方 8

学習方法 10

| 第1章 | **毎回テストに出る 最頻出の210** 11
ターゲットライン　470点

| 第2章 | **絶対忘れてはならない 頻出の330** 55
ターゲットライン　600点

| 第3章 | **知っていると差がつく 応用の330** 123
ターゲットライン　730点

| 第4章 | **高得点を狙う 上級の120** 191
ターゲットライン　860点

INDEX 216

本書の使い方

　本書には990の見出し語と例文が収録されています。この990語は以下の4レベルに分類されています。

見出し語	ターゲットライン
1～210	470点
211～540	600点
541～870	730点
871～990	860点

　はじめの3レベルに入っている語は難易度的には差がありません。**TOEIC®テストでの頻出度によってレベル分け**をしてあります。

　最後のターゲットライン860では、難易度が高いものを集めてあります（頻出度はあまり高くありません）。まずは、はじめの3レベルをマスターすることから始めてください。この3レベルをマスターすれば、TOEICで730点を取るのに十分な語彙力が付きます。ターゲットライン860に移るのはその後でよいでしょう。

　見出し語、例文の朗読は、アメリカ英語とイギリス英語を使いました。

　TOEIC本番では、アメリカ、カナダ、イギリス、オーストラリア、ニュージーランドのナレーターが登場します。しかし、TOEICで使われる英語の発音に関しては、アメリカとカナダでほとんど差がなく、オーストラリアとニュージーランドの発音はイギリスと極めて近くなっています。よって、標準的なアメリカ英語とイギリス英語が聞き取れれば、TOEICのリスニングに十分対応できます。本書CDをくり返し聞いて練習してください。

1ページに5つの項目が載っています。構成は以下の通りです。

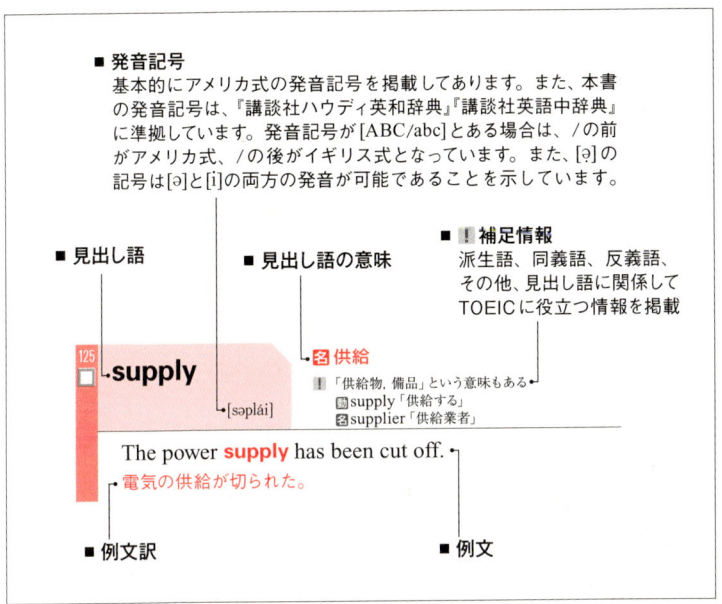

■ 発音記号
基本的にアメリカ式の発音記号を掲載してあります。また、本書の発音記号は、『講談社ハウディ英和辞典』『講談社英語中辞典』に準拠しています。発音記号が[ABC/abc]とある場合は、/の前がアメリカ式、/の後がイギリス式となっています。また、[ə]の記号は[ə]と[i]の両方の発音が可能であることを示しています。

■ 見出し語

■ 見出し語の意味

■ 補足情報
派生語、同義語、反義語、その他、見出し語に関係してTOEICに役立つ情報を掲載

125
supply
[səplái]

名 供給
「供給物, 備品」という意味もある
動 supply「供給する」
名 supplier「供給業者」

The power **supply** has been cut off.
電気の供給が切られた。

■ 例文訳

■ 例文

また、本書中の記号は、下記のような意味で使用しています。

■ 品詞表記
名 名詞
動 動詞
形 形容詞
副 副詞
前 前置詞
接 接続詞

■ その他の表記
類 類義語・類似表現
反 反義語
略 略語・略称
過 過去形
過分 過去分詞
同 同義語
関 関連語・関連表現
例 例句
注意 注意

《イギリス英語》イギリス英語表現
《アメリカ英語》アメリカ英語表現

英 イギリス式発音
米 アメリカ式発音

学習方法

　効果的に学習し、確実にスコアアップできるように、学習方法をご紹介します。私が実践して、また、学習者の皆さんに実践してもらって、一番効果的な方法は、次のものです。ぜひ、試してみてください。

STEP 1

1) 見出し語を見て、意味を確認する
2) 補足情報を読む
3) 例文を読んで、意味を確認する
4) 音声CDを聞いて音を確認する
5) 音声CDを聞き、繰り返し声に出す

STEP 2

毎日くり返しCDを聞いて、声に出す。

　一番重要なのはステップ2です。例文を聞いて声に出す練習を繰り返し行ってください。何回も繰り返して声に出して言っていると、自然に覚えてしまいます。**語彙力はもちろんのこと、リスニング力や英語の感覚なども身に付きます。**そして日本語を介さなくても意味がわかるようになってきます。

　本書のCDは、TOEIC®テストの虎の巻といっても過言ではありません。このCD1枚のなかに、TOEICのエッセンスがぎゅっと詰め込んであります。いろいろな教材にあちこち手を出す前に、1ヵ月、CDを使い倒してみてください。結果は必ずついてきます。

第1章

毎回テストに出る最頻出の 210

ターゲットライン　470点

1. product
[prɑ́dʌkt/prɔ́d-]

名 製品

- 動 prodúce「製造する」 名 próduce「農産物」
- 名 production「生産, 生産量」
- 形 productive「生産的な」

I'd like to show you some of our **products**.
当社の製品をいくつかご紹介したいと思います。

2. employ
[implɔ́i, em-]

動 雇う

- 名 employer「雇用主」
- 名 employee「従業員」
- 名 employment「雇用」

The automobile company **employs** 20,000 people.
その自動車会社は2万人を雇っている。

3. business
[bíznəs]

名 会社

- 同 company, firm「会社」
- businessには「商取引, 仕事, 事柄」など多様な意味がある　do business「商取引をする」

He runs his own **business** in London.
彼はロンドンで自分の会社を経営している。

4. customer
[kʌ́stəmər]

名 客

- 類 client「顧客, 依頼人」 shopper「買い物客」
- diner「レストランの客」 guest「ホテルの宿泊客」
- 動 customize「カスタマイズする」

We had more **customers** in April than in May.
当店は5月より4月のほうが客数が多かった。

5. monthly
[mʌ́nθli]

副 毎月

- 形 monthly「毎月の」 daily「毎日, 毎日の」
- weekly「毎週, 毎週の」 yearly「毎年, 毎年の」
- (これらは副詞と形容詞が同形) annually「毎年」

The managers meet **monthly** to discuss operational issues.
部長たちは運営上の問題について話し合うために毎月会合を開く。

6. report
[ripɔ́:rt]

名 報告書

- 動 report「報告する」
- report to ～「～に行く, (人の) 下で働く」
- annual report「年次報告書」

I received the sales **report** this morning.
私は今朝、売り上げ報告書を受け取りました。

7. schedule
[skédʒu:l / 英 ʃédju:l]

動 予定に入れる

- 名 schedule「スケジュール」
- behind schedule「予定より遅れて」

The meeting is **scheduled** for Monday morning.
会議は月曜日の午前中に予定されている。

8. mail
[meil]

動 郵送する

- 「メールを送る」(=e-mail) という意味で使われることもある 同 post「郵送する《イギリス英語》」 名 mail「郵便, 郵便物」(=post《イギリス英語》) 名 mailing「郵送」

We will **mail** you a catalog when it becomes available.
カタログが出来ましたら、郵送いたします。

9. receive
[risí:v]

動 受け取る

- 名 receipt「受領, 領収書」
- 名 recipient「受取人」

I **received** a letter from my bank.
私は銀行から手紙を受け取った。

10. visitor
[vízitər]

名 観光客

- 「来訪者」という意味もある
- 類 tourist「観光客」 動 visit「訪れる」
- courtesy visit「表敬訪問」

The number of foreign **visitors** increased last year.
昨年、外国人観光客の数が増えた。

11. design
[dizáin]

動 設計する
- 「デザインする，立案する」などの意味もある
- 名 design「デザイン，設計図」

Ms. Spencer **designed** this building.
スペンサーさんがこの建物の設計をした。

12. repair
[ripéər]

動 修理する
- 同 fix「（機械を）修理する」
  repair「（家などを）修繕する」
- 名 repair「修理」 under repair「修理中」

He's **repairing** a machine.
彼は機械を修理している。

13. conference
[kánf(ə)rəns/⊛kɔ́n-]

名 会議
- 大きな会議を表す語　同 convention「会議」
  conference call「電話会議」

The sales **conference** will be held in Seattle.
販売会議がシアトルで行われる。

14. available
[əvéiləbl]

形 入手できる
- 「手があいている」という意味もある
- 名 availability「利用・入手の可能性・都合」
- 反 unavailable「入手できない」

Tickets are **available** at the box office.
チケットはチケット売り場でご購入いただけます。

15. travel
[trǽvl]

動 旅行する
- 名 travel「旅行」 名 traveler「旅行者」
  travel agency「旅行代理店」
  travel agent「旅行代理店の社員」

Ms. Wales has **traveled** to many Asian countries.
ウェールズさんは多くのアジアの国に行ったことがある。

16. discuss
[diskʌ́s]

動 話し合う

- 同 talk about〜「〜について話し合う」
- 名 discussion「話し合い」
- 注意 他動詞なので、前置詞は伴わない

We'll **discuss** the issue at the meeting.
私たちはその件について会議で話し合います。

17. department
[dipáːrtmənt]

名 部

- 同 division「部署」
- 日本語のデパートは department store
- 形 departmental「部署の」

Bob works in the marketing **department**.
ボブはマーケティング部に勤めている。

18. park
[pɑːrk]

動 駐車する

- 名 park「公園」
- parking lot「駐車場」

Some cars are **parked** in front of the building.
その建物の前に数台の車が止められている。

19. expect
[ikspékt]

動 (人が来るのを)待つ

- 「予期する，期待する」という意味もある
- 名 expectation「期待」

I'm **expecting** a visitor.
私は来客を待っている。

20. order
[ɔ́ːrdər]

名 注文

- 「順序，秩序，命令」などの意味もある
- 動 order「注文する」　out of order「故障して」
- place an order「注文する」

May I take your **order** now?
今、ご注文をお伺いしてよろしいでしょうか。

毎回テストに出る最頻出の 210

21. busy
[bízi]

形 混んでいる

! 「忙しい, 使用中である」などの意味もある
busy 〜ing「〜で忙しい」

The café was really **busy** last Sunday.
そのカフェは先週の日曜日とても混んでいた。

22. contact
[kɑ́ntækt/® kɔ́n-]

動 連絡する

! 名 contact「接触, 連絡, 知人」
注意 他動詞なので前置詞は伴わない

How can I **contact** you?
私はどうやってあなたに連絡が取れますか。

23. leave
[líːv]

動 仕事を辞める

! 「出発する, 残す, 任せる」など多様な意味を持つ語
名 leave「休暇」
〜 leave「〜休暇」(sick leave「病欠」)

Jim **left** the company last month.
ジムは先月会社を辞めた。

24. board
[bɔ́ːrd]

動 乗り込む

! boarding pass は飛行機などの「搭乗券」
名 board「板, 役員会」
bulletin board「掲示板」

They're **boarding** the train.
彼らは列車に乗り込んでいる。

25. hour
[áuər]

名 営業時間

! この意味では常に複数形
形 hourly「1時間ごとの」
副 hourly「1時間ごとに」

I can meet you outside our regular business **hours**.
通常営業時間外にあなたにお会いすることもできます。

26 line
[láin]

名 列
- in line「列になって、並んで」(=in a row)
  in a rowは「続けて」という意味もある

Customers are waiting in **line**.
客は並んで待っている。

27 attend
[əténd]

動 出席する
- 名 attendance「出席」
  名 attendant「案内係、添乗員」
  名 attendee「出席者」(=participant)

I **attended** the workshop yesterday.
私は昨日、研修会に参加した。

28 item
[áitəm]

名 品物
- 「事項、記事」などの意味もある
  動 itemize「項目別に列挙する」

The **item** you ordered is temporarily unavailable.
ご注文の品は一時的に在庫が切れております。

29 purpose
[pə́ːrpəs]

名 目的
- 同 aim, goal, target, object, objective「目的」
  形 purposeful「目的のある」
  形 purposeless「目的のない」

What's the **purpose** of your visit to Canada?
カナダ訪問の目的は何ですか。

30 hold
[hóuld]

動 (手に)持つ
- ものをただ持っているだけの場合に使う。同じくものを持っているように見えても、それを「運んでいる」場合はcarryになるので注意！「催す」という意味も重要

She's **holding** a document.
彼女は書類を手に持っている。

31 sure [ʃúər]
形 確かな
- I'm not sure.でI don't know.「知りません」とほぼ同義
- 同 certain「確かな」 副 surely「確かに」

I'm not **sure** where he is.
彼がどこにいるのか私にはわかりません。

32 increase [inkríːs]
動 増える
- 名 increase「増加, 上昇」
  an increase in ～「～の増加」
  on the increase「増加して」

Our sales didn't **increase** much last month.
当社の売り上げは先月、あまり増加しなかった。

33 let [lét]
動 ～に～させる
- let〈人・物〉〈動詞の原形〉の形をとる

If you change your plans, please **let** me know.
もし予定を変更するなら、私に知らせてください。

34 museum [mjuːzí(ː)əm]
名 博物館
- 類 gallery「美術館」
  関 auditorium「講堂, 音楽堂」

We're going to a local **museum** this afternoon.
私たちは午後、地元の博物館に行きます。

35 tour [túər]
名 見学
- 「旅行」という意味もある
  動 tour「旅行する」 名 tourist「旅行者」
  名 tourism「観光業」

Visitors can take a guided **tour** of the factory.
来訪者はガイド付きの工場見学に参加できます。

36. wear
[wéər]

動 身に着けている
! wearは身に着けている状態を表す
put on「着る」/take off「脱ぐ」は動作を表す

She's **wearing** glasses.
彼女はメガネをかけている。

37. position
[pəzíʃən]

名 職
!「位置, 状況, 向き」などの意味もある
an upright position「真っすぐの位置」

I'm interested in the sales **position**. No 39,
私は営業の職に興味があります。

38. return
[ritə́ːrn]

動 返す
! 名 return「返却, 返品」
return one's call「折り返し電話する」
return trip「《アメリカ英語》復路, 《イギリス英語》往復旅行」

Please **return** the equipment by four o'clock.
機器は4時までに返却してください。

39. interested
[ínt(ə)rəstid]

形 興味がある !「~したい」という意味にもなる inとセットで覚えよう 形 interesting「面白い」 名 interest「興味, 利息」 interest rateは「金利」 動 interest「興味を引く」

Are you **interested** in baseball?
あなたは野球に興味がありますか。

40. president
[prézədənt]

名 社長
!「大統領, 総裁,（クラブなどの）会長」という意味もある
vice president「副社長, 部長」

Who is the **president** of your company?
だれがあなたの会社の社長ですか。

41. print
[print]

動 印刷する

- 名 print「印刷, 字体」the small print/the fine print「細目」(細かい補足的な規定事項)
- 名 printer「印刷所, プリンター」

I need to **print** the agenda for tomorrow's meeting.
私は明日の会議用に議題を印刷する必要があります。

42. look forward to

〜を楽しみにしている

- 後ろには動詞の -ing 形または名詞が来る
  ビジネス文書では「締めくくり」の言葉としてよく使われる

I **look forward to** seeing you in Berlin.
ベルリンでお会いできることを楽しみにしております。

43. on sale
[séil]

売られている

- 「特別価格で」という意味もある
  for sale「売り物の」

Tickets will be **on sale** starting tomorrow.
チケットは明日から販売されます。

44. follow
[fálou/英 fɔ́lou]

動 従う

- 「ついて行く, 次に来る」などの意味もある
- 形 following「次の」
- 前 following 〜「〜のあとで」

I **followed** his advice.
私は彼のアドバイスに従った。

45. message
[mésidʒ]

名 伝言

- 電話等で伝言を受けるときの表現
  forward one's message「伝言を転送する」

May I take your **message**?
あなたの伝言をお受けいたしましょうか。

46. presentation
[prèzntéiʃən]

名 プレゼンテーション
- give a presentation の組み合わせで覚えよう

I'm going to give a **presentation** next week.
私は来週、プレゼンテーションをします。

47. sign
[sain]

名 標識
- 「兆候, 合図, 記号」などの意味もある
- **動** sign「署名する」　**名** signature「署名」

Can you see the **sign** on the wall?
壁にある標識が見えますか。

48. break
[bréik]

名 休憩
- 「休暇」という意味もある
- **動** break「壊す, 壊れる」
- **形** breakable「壊れやすい」(=fragile)

We took a **break** before starting the tour.
私たちは見学ツアーを始める前に休憩を取った。

49. document
[dákjumənt/⊕dɔ́k-]

名 書類
- 同 paper「書類」
- **動** document「文書化する」

Who gave you this **document**?
だれがあなたにこの書類を渡したんですか。

50. in front of

〜の前に
- 位置を表す語句はパート1で重要

A man is standing **in front of** the building.
建物の前に男性が立っている。

51. kind [káind]

名 種類
- 同 type, sort「種類」 形 kind「優しい, 親切な」
- 副 kindly「親切に」 名 kindness「優しさ」

What **kind** of TV programs do you watch?
どのような種類のテレビ番組を見ますか。

52. head [héd]

名 長
- 「頭, 先端」などの意味もある
- 動 head「率いる, 向かう」

The department **heads** had a meeting today.
部長たちは今日、ミーティングを開いた。

53. important [impɔ́ːrt(ə)nt]

形 重要な
- 名 importance「重要性」
- 副 importantly「重要なことには」(more, mostとセットで用いられる)

I have an **important** meeting this afternoon.
私は今日の午後、重要な会議があります。

54. equipment [ikwípmənt]

名 機器
- equipmentは不可算名詞
- 動 equip「備える, 授ける」

He's adjusting some **equipment**.
彼は機器の調整をしている。

55. ship [ʃip]

動 発送する
- 名 ship「船」
- 名 shipment「出荷, 積み荷」

Your order will be **shipped** within twenty-four hours.
あなたのご注文の品は24時間以内に発送されます。

56 arrive
[əráiv]

動 届く
- 「(人が)到着する」という意味もある
- 名 arrival「到着」
- 反 departure「出発」

The shipment hasn't **arrived** yet.
積み荷がまだ届いていない。

57 holiday
[hάlədèi / ⟨英⟩ hɔ́lədi]

名 休暇
- 「休日」という意味もある　on holiday「休暇中」（=on vacation）　同 vacation「休暇」
- national holiday「(国の定めた)祝日」

Mr. Anderson is on **holiday** now.
アンダーソンさんは現在、休暇中です。

58 prepare
[pripéər]

動 準備をする
- 名 preparation「準備」
- 形 prepared「準備ができている，覚悟ができている」

He's **preparing** for his presentation.
彼はプレゼンテーションの準備をしている。

59 furniture
[fə́:rnətʃər]

名 家具
- furniture は不可算名詞
- a piece of furniture「家具一点」

They sell office **furniture** at low prices.
彼らはオフィス用家具を低価格で販売している。

60 online
[ɑ́nláin / ɔ́n-]

副 オンラインで
- 形 online「オンラインの」
- online shopping「オンラインショッピング」

You can register for the conference **online**.
オンラインで大会への申し込みができます。

61. stay
[stei]

動 泊まる
- 「とどまる」(=remain) という意味もある
- 名 stay「滞在」

I'm **staying** at the Park Hotel.
私はパークホテルに泊まっています。

62. article
[á:rtikl]

名 記事
- 「論文, 条項, 品物」という意味もある
  a missing article「紛失物」

I read an interesting **article** about India.
私はインドに関する面白い記事を読んだ。

63. during
[dú(ə)riŋ/djú(ə)r-]

前 〜の間
- 接 while「〜の間」(whileは接続詞なので後ろに節が続く) duringの後ろに動詞の -ing 形は来ない 名 duration「継続期間」
- 形 durable「耐久性のある」名 durability「耐久性」

Please turn off your cell phones **during** workshops.
研修会の間は携帯電話の電源をお切りください。

64. industry
[índəstri]

名 産業
- 形 industrial「産業の」
  動 industrialize「産業化する」
  industry analysis「業界分析」

I've been in the travel **industry** for many years.
私は長年、旅行業界にいます。

65. prefer
[prifə́:r]

動 好む
- prefer A to B「AをBより好む」
  名 preference「好み」
  形 preferable「好ましい」

I **prefer** fish to meat.
私は肉より魚が好きです。

66. either
[íːðər/ái-]

接 〜または〜

! 「どちらか」という意味もある either A or B 「AまたはB」 both A and B 「AとBと両方」 neither A nor B 「AでもBでもない」

You can contact us **either** by e-mail or fax.
あなたは私たちにメールまたはファックスで連絡を取ることができます。

67. different
[dífərənt]

形 異なる

! **名** difference「違い」
副 differently「違うように」
動 differ「異なる」 **動** differentiate「区別する」

The new model is very **different** from the old one.
新しいモデルは旧式のものと大きく異なっています。

68. record
[rékərd/-kɔːd]

名 記録

! 「新記録, 成績, (音楽の)レコード」などの意味もある
動 record「記録をつける, 録音・録画する」

They couldn't find my name in their **records**.
彼らは記録中に私の名前を見つけることができなかった。

69. usually
[júːʒuəli]

副 普通は

! **形** usual「通常の」
同 normally「普通は」
反 unusually「異常に」

I **usually** go to work by car.
私は普通、車で仕事に行きます。

70. international
[ìntərnǽʃənl, -ʃnəl]

形 国際的な

! **副** internationally「国際的に」
反 national, domestic「国内の」
類 global「世界的な」

I attended an **international** conference last week.
私は先週、国際会議に出席した。

71. study
[stʌ́di]

名 調査
- 「研究, 学習, 論文, 学習室」などの意味もある
- 同 survey, research「調査」
- 動 study「勉強する」

We conducted a **study** on consumer preferences.
私たちは消費者の嗜好に関する調査を行った。

72. enter
[éntər]

動 入る
- 「入力する」という意味もある
- 名 entrance「入り口」

I couldn't **enter** the building.
私は建物の中に入れなかった。

73. put on

身に着ける
- put on は（服, メガネ, 帽子などを）身に着ける動作を表す
- 反 take off は「脱ぐ」という動作を表す

He's **putting on** a jacket.
彼はジャケットを着ているところだ。

74. make sure
[ʃúər]

必ず〜する
- 類 be sure to 〜「必ず〜する」

Please **make sure** you use the right form.
必ず正しい用紙を使用してください。

75. decide
[disáid]

動 決める
- 名 decision「決定」
- 形 decisive「断固とした, 決定的な」

We **decided** to close the factory.
当社はその工場を閉鎖することを決めた。

76. expensive
[ikspénsiv]

形 値段が高い
- 反 inexpensive, cheap「値段が安い」

This computer wasn't very **expensive**.
このコンピュータはそれほど高くなかった。

77. résumé
[rézumèi/-zjum-]

名 履歴書
- 「まとめ, 要約」(=summary)という意味もある
- 同 CV (curriculum vitaeの省略形)「履歴書」

Applicants should send their **résumés** to the following address.
応募者は次の住所に履歴書をお送りください。

78. surprised
[sərpráizd]

形 驚いた
- 動 surprise「驚かす」 名 surprise「驚き」
- 形 surprising「驚くべき」
- 副 surprisingly「驚くほど, 意外なことに」

Weren't you **surprised** when John came in?
ジョンが入って来た時、驚かなかったですか。

79. bill
[bíl]

名 請求書
- 「紙幣《アメリカ英語》, レストランの勘定書《イギリス英語》」などの意味もある
- 同 invoice「請求書」

I haven't paid my gas **bill** since July.
私は7月からガス代の請求書に対する支払いをしていない。

80. community
[kəmjú:nəti]

名 共同体
- international community「国際社会」

Ms. Burns is well-known in the local **community**.
バーンズさんはその地域の人々の間で有名です。

81. handle
[hǽndl]

動 行う
! 「対処する, 取り扱う」などの意味もある 同 take care of「行う」
名 handle「取っ手」 名 handling「取り扱い」
handling charge「取扱手数料」

Steve **handles** travel arrangements.
スティーブが旅行の手配をする。

82. advice
[ədváis]

名 助言
! 動 advise「勧める」 形 advisable「望ましい」
形 advisory「助言の」
an advisory committee「諮問委員会」

Thank you for your **advice**.
助言をありがとうございます。

83. discount
[dískaunt]

名 割引
! get a discount「割引を受ける」
動 discount「割引する」

We give a ten percent **discount** on large orders.
当店では大口の注文に10パーセントの割引をいたします。

84. hand
[hǽnd]

動 渡す
! hand out「配る」 hand in「提出する」
名 hand「手」

The man is **handing** a file to the woman.
男性が女性にファイルを渡している。

85. stop by
[stɑp/stɔp]

立ち寄る
! 同 drop by, come by「立ち寄る」
名 stop-by「(短い)立ち寄り」

Robin **stopped by** the office to say hello.
ロビンは挨拶をするためオフィスに寄った。

86 tourist
[tú(ə)rist]

名 観光客
- 類 visitor「観光客, 来訪者」
- 名 tourism「観光業」 名 tour「旅行」
- 動 tour「旅行する」

The country is trying to attract more **tourists** from abroad.
その国は外国からより多くの観光客を集めようとしている。

87 turn off
[tɔːrn]

(電気等を)消す
- 「(電気等を)つける」は turn on

Please **turn off** the lights before you leave.
帰る前に電気を消してください。

88 additional
[ədíʃənl]

形 追加の
- 同 extra「追加の」
- 動 add「加える」 名 addition「追加」

We need **additional** funds to continue the project.
私たちはプロジェクトを続けるのに追加の資金が必要です。

89 pleased
[pliːzd]

形 喜んだ
- 動 please「喜ばせる」(「どうか, どうぞ, お願いします」などの間投詞の用法もある)
- 形 pleasing「喜びを与える」 名 pleasure「喜び」

We are **pleased** to offer you free delivery.
当社は無料配送を喜んでご提供いたします。

90 store
[stɔːr]

動 保管する
- 名 store「店」
- 名 storage「保管, 貯蔵」

Envelopes are **stored** in the supply room.
封筒は備品室に保管されている。

91. manage
[mǽnidʒ]

動 何とかやり遂げる　❗「経営する」という意味もある　名 manager「マネージャー」　名 management「経営, 経営者」　形 manageable「取り扱いやすい」　形 managerial「管理職の」

I **managed** to finish it on time.
私はそれを何とか予定通りに終わらせた。

92. marketing
[máːrkitiŋ]

名 マーケティング　❗ 市場調査, 価格設定, 販売戦略などを含む　名 market「市場」　動 market「売り込む, 市場に出す」

We could get more sales with better **marketing**.
もっとマーケティングに力を入れればさらに売り上げを伸ばせるでしょう。

93. include
[inklúːd]

動 含む　❗ 反 exclude「除く」　形 inclusive「含んでいる」　前 including「〜を含めて」

What is **included** in the price?
その料金に何が含まれますか。

94. last
[lǽst / 英 láːst]

動 続く　❗ 形 last「最後の, 前の」　副 last「最後に」　名 last「最後の人・物」　副 lastly「(一連の説明で) 最後に」

How long did the meeting **last**?
ミーティングはどのくらい続きましたか。

95. opening
[óup(ə)niŋ]

名 (職の) 空き　❗「開店, 開幕, 初日」などの意味もある　動 open「開く」　形 open「開いている, 営業している, 開放されている」

Are there any job **openings** at your company?
あなたの会社で仕事の空きはありますか。

96. direction
[dərékʃən/dai-]

名 道案内
❗ この意味では通常複数形「方向, 指揮」などの意味もある　動 direct「指揮する」　形 direct「直接的な」　副 directly「直接的に」　名 director「重役, 監督」

She gave me **directions** to the office.
彼女はオフィスへの行き方を教えてくれた。

97. cost
[kɔ́ːst/kɔ́st]

動 費用がかかる
❗ 名 cost「費用」　fixed cost「固定費」　variable cost「変動費」　形 costly「値段の高い」

How much does it **cost** to renew a driver's license?
運転免許を更新するのにいくらかかりますか。

98. apply
[əplái]

動 応募する
❗ 「利用する, 応用する, 適用する」という意味もある
名 application「応募」
名 applicant「応募者」(≒candidate「候補者」)

Five people have **applied** for the position.
5人がその職に応募した。

99. find
[fáind]

動 思う
❗ 「見つける」という意味もある
過 過分 found

I **find** it difficult to follow the instructions.
私はその使用説明書に従うのは難しく思う。

100. book
[búk]

動 予約する
❗ 同 reserve「予約する」
名 booking「予約」

I'd like to **book** a table for three for tonight.
今晩、3人の席の予約をお願いします。

101 place
[pleis]

動 (注文、広告などを)出す
- 「置く」という意味もある
- 名 place「場所」

You can **place** an order on our Web site.
当社のウェブサイト上で発注できます。

102 deliver
[dilívər]

動 配達する
- 名 delivery「配達, 話し方」
  cash on delivery(略 COD)「代金引き換え渡し」

We will **deliver** your order within twenty-four hours.
当社はあなたの注文品を24時間以内に配達します。

103 experience
[ikspí(ə)riəns]

動 経験する
- 名 experience「経験」
- 形 experienced「経験を積んだ, 熟練した」

The manufacturer has been **experiencing** financial difficulties.
そのメーカーは財政難に陥っている。

104 complete
[kəmplí:t]

動 完成させる
- 「必要事項を記入する」という意味もある
- 形 complete「完全な」 副 completely「完全に」
- 名 completion「完成」

We must **complete** the project in two months.
私たちはそのプロジェクトを2ヵ月で終わらせなければならない。

105 quality
[kwáləti/⊕kwóliti]

形 質の高い
- 名 quality「品質」
  quality paper「高級紙」(インテリ層を対象にした新聞)

We sell **quality** products at affordable prices.
当店では高品質の製品をお手ごろ価格で販売しております。

106 develop
[divéləp]

動 開発する
- 「発展する, 発展させる, (フィルムを)現像する」などの意味もある
- 名 development「開発, 発展」

Our team is **developing** a new digital camera.
私たちのチームは新しいデジタルカメラを開発している。

107 accounting
[əkáuntiŋ]

名 会計
- 名 accountant「会計士, 経理担当者」

Mr. Martin runs an **accounting** office.
マーティンさんは会計事務所を経営している。

108 survey
[(名)sə́:rvei] [(動)sərvéi]

名 調査
- 同 research「調査」
- 動 survey「調査する」

Five hundred people took part in the **survey**.
500人がその調査に参加した。

109 arrange
[əréindʒ]

動 手はずを整える
- 「配置する」という意味もある
- 名 arrangement「手配, 配置」

I've **arranged** to meet him tomorrow.
私は明日彼と会うように手はずを整えた。

110 right away

すぐに
- 同 immediately「すぐに」

I'll do it **right away**.
すぐにそれをします。

111 current
[kə́:rənt/kʌ́r-]

形 現在の
- 同 present「現在の」
- 副 currently「現在」

I like my **current** job better than the previous one.
私は現在の仕事が前のより好きです。

112 recently
[rí:sntli]

副 最近
- 形 recent「最近の」

I **recently** went to the construction site.
私は最近、その建築現場に行きました。

113 research
[risə́:rtʃ]

名 調査
- 動 research「調査する」
- 名 researcher「研究者」

We regularly carry out market **research**.
当社は定期的に市場調査を行う。

114 successful
[səksésfəl]

形 成功している
- 動 succeed「成功する」
- 副 successfully「うまく」
- 名 success「成功」

Although the company is new, it's been highly **successful**.
その会社は新しいが、とても成功している。

115 lead
[li:d]

動 率いる
- 過過分 led「案内する、つながる、通じている」などの意味もある
- 名 lead「先頭、リード」
- 形 leading「一流の、トップの」
- 名 leader「指導者」
- 名 leadership「指導、指導力」

He has **led** the company for over ten years.
彼はその会社を10年以上率いている。

116 address
[ədrés]

動 話をする
- 「住所を書く, 取り組む」などの意味もある
- 名 address「住所, 演説」

Mr. Lee **addressed** a group of students.
リーさんは学生のグループに話をした。

117 in person
[pə́ːrsn]

直接会って
- in writingは「書面で」という意味

I went to his office **in person**.
私は直接、彼のオフィスへ行った。

118 request
[rikwést]

動 求める
- 類 ask for「求める」
- 名 request「依頼」

She **requested** a refund.
彼女は払い戻しを求めた。

119 select
[səlékt]

動 選ぶ
- 同 choose「選ぶ」 形 select「選ばれた」
- 形 selective「選択にうるさい, えり抜きの」
- 名 selection「選択, 選ばれたもの」

We **selected** six candidates for interview.
私たちは6人の志願者を面接に選んだ。

120 exhibit
[igzíbit]

名 展覧会
- 「展示品」という意味もある
- 同 exhibition「展覧会」
- 動 exhibit「展示する, (感情などを) 見せる」

There's a new sculpture **exhibit** at the art museum.
美術館で新しい彫刻の展覧会をやっている。

121 package
[pǽkidʒ]

名 小包
- 「セットになったもの」を表す用法もある
- 同 parcel「小包」《イギリス英語》
- 動 package「詰める, まとめる」

There's a **package** for you.
あなたに小包があります。

122 assistant
[əsíst(ə)nt]

名 アシスタント
- 動 assist「手伝う」
- 名 assistance「手伝い」

He's an **assistant** to Ms. Owen.
彼はオーウェンさんのアシスタントです。

123 contract
[kántrækt / 英 kɔ́n-]

名 契約
- 動 contract「契約を結ぶ」
- 名 contractor「請負業者」
- 形 contractual「契約上の」

I signed a **contract** with my employer.
私は雇用主との契約にサインをした。

124 fully
[fúli]

副 完全に
- 同 completely「完全に」
- 形 full「完全な, いっぱいの」

I'm sorry sir, but we're **fully** booked tonight.
お客様、申し訳ございませんが今晩は完全に予約がいっぱいです。

125 supply
[səplái]

名 供給
- 「供給物, 備品」という意味もある
- 動 supply「供給する」
- 名 supplier「供給業者」

The power **supply** has been cut off.
電気の供給が切られた。

126. fill out
[fíl]

(必要事項を)記入する

- 類 complete「(必要事項を)記入する」
- 関 fill in「空欄を埋める, 記入する」

I was asked to **fill out** a questionnaire.
私はアンケート用紙に記入するように頼まれた。

127. total
[tóutl]

名 合計

- 「総額」という意味もある
- 形 total「全体の, 完全な」 副 totally「完全に」
- 動 total「合計で〜になる」

The chain consists of a **total** of ten thousand stores.
そのチェーンは1万の店舗によって構成されている。

128. construction
[kənstrʌ́kʃən]

名 建設

- 動 construct「建設する」
- 形 constructive「建設的な」
- under construction「工事中の」

The **construction** of the bridge is progressing slowly.
橋の建設はゆっくり進んでいる。

129. introduce
[ìntrəd(j)úːs]

動 紹介する

- 「導入する」という意味もある
- 名 introduction「紹介, 導入」

The manager **introduced** me to the team members.
部長が私をチームのメンバーに紹介した。

130. list
[líst]

動 載せる

- 「一覧表にする」という意味もある
- 名 list「リスト」
- 名 listing「リスト, イベント一覧表」

The travel guide **lists** over seven hundred hotels.
その旅行ガイドブックは700以上のホテルを載せている。

131 public
[pʌ́blik]

名 一般の人

! 形 public「公の, 公開の, 公衆の」
副 publicly「公に, 公的に」 名 publicity「広報, 世間の注目」 動 publicize「公にする」

This building is not open to the **public**.
この建物は一般公開されていません。

132 rate
[réit]

名 料金

! 「割合, 比率」という意味もある
類 price「値段, 価格」 charge「料金」 fee「料金」 fare「運賃」 toll「通行料, 長距離通話料」

The new **rate** is much higher than the other.
新料金は前と比べかなり高い。

133 due
[d(j)uː/djuː]

形 期限である

! 「~することになっている」という意味もある
due to ~「~のため」
due date「期日」

The payment is **due** at the end of the month.
支払いの期限は今月末です。

134 hire
[háiər]

動 雇う

! 「(料金を払って) 借りる」という意味もある
同 employ「雇う」

We **hired** a new receptionist last week.
私たちは先週、新しい受付係を雇った。

135 in charge of
[tʃɑ́ːrdʒ]

~を担当して

! 類 responsible for「~の責任がある」

Becky is **in charge of** training new employees.
ベッキーは新入社員の研修を担当しています。

136 material
[mətí(ə)riəl]

名 資材
- 「生地, 原材料, 資料, 教材, 機材」などの意味もある　形 material「物質的な」
- 動 materialize「実現する」

They are a supplier of building **materials**.
彼らは建設資材の供給業者です。

137 performance
[pərfɔ́ːrməns]

名 公演
- 「業績, 性能, 遂行」などの意味もある
- 動 perform「演じる, 行う」
- 名 performer「演奏者, 役者」

Tonight's **performance** will begin at seven-thirty.
今夜の公演は7時半に始まります。

138 proposal
[prəpóuz(ə)l]

名 提案
- 動 propose「提案する」

My **proposal** was accepted.
私の提案は受け入れられた。

139 set up
[set]

設定する
- 「組み立てる, 始める, (機械等を)セットする」などの意味もある

We've **set up** a meeting for Wednesday.
私たちは水曜日にミーティングを設定した。

140 in advance
[ədvǽns/-vɑ́ːns]

事前に
- 名 advance「前進」
- 動 advance「進歩する, 昇進する」
- 形 advance「事前の」　形 advanced「進んだ」

Cancellations must be made forty-eight hours **in advance**.
キャンセルは48時間前までになされなければならない。

141 confirm
[kənfə́ːrm]

動 確認する
- 名 confirmation「確認」
- 類 reconfirm「再確認する」

I'd like to **confirm** my reservation.
予約の確認をしたいと思います。

142 cover
[kʌ́vər]

動 報道する
- 「覆う, 賄う, 保険をかける」などの意味もある
- 名 coverage「報道, 適用範囲」
- cover letter「添書」

I was in Beijing to **cover** the Olympics.
私はオリンピックのニュースを伝えるため北京にいた。

143 estimate
[éstəmit]

名 見積もり
- 「予測」という意味もある
- 動 estimate「見積もる, 推定する」
- 名 estimation「判断, 見積もり」

I need a cost **estimate** for the project.
私はプロジェクト費用の見積もりが必要です。

144 participate
[pɑːrtísəpèit]

動 参加する
- 後ろに続く前置詞は in 同 take part in「参加する」 名 participation「参加」
- 名 participant「参加者」

Over three thousand people **participated** in the event.
3000人以上がそのイベントに参加した。

145 reservation
[rèzərvéiʃən]

名 予約
- make a reservation「予約をする」この組み合わせで覚えよう
- 動 reserve「予約する」(=book)

We made a **reservation** well in advance.
私たちは十分余裕をもって予約した。

146 annual
[ǽnju(ə)l]

形 毎年の

! 同 yearly「毎年の」
副 annually「毎年」(=yearly)
annual meeting「年次総会」

Employees are given **annual** paid leave of twenty days.
従業員は20日の年次有給休暇が与えられます。

147 create
[kriéit]

動 作り出す

! 形 creative「創造的な」
副 creatively「創造的に」
名 creation「創造, 創造物」

It's easy to **create** graphics with this software.
このソフトウェアを使うと画像作成が簡単です。

148 note
[nóut]

動 注意する　　! 「述べる」という意味もある
Please note はお知らせをするときの表現
類 Please be advised that〜「(that以下のことを) お知らせします」　名 note「メモ, 注記」
形 noted「有名な」(=famous)

Please **note** that the store will be closed on Thursday.
当店は次の木曜日に閉まりますのでご注意ください。

149 facility
[fəsíləti]

名 施設

! 「施設, 設備, 建物」という意味では
複数形 facilities で使われる

We will visit our food storage **facilities** today.
私たちは今日、当社の食糧貯蔵施設を訪れます。

150 mention
[ménʃən]

動 言う

! 他動詞なので前置詞は伴わない
文章中で「触れる」という意味もある
名 mention「言及」

Did she **mention** when she'll be back?
彼女はいつ戻るか言っていましたか。

151 registration
[rèdʒistréiʃən]

名 登録
- **動** register「申し込む, 登録する」

Advance **registration** is now open.
現在、事前登録を受け付けております。

152 respond
[rispánd/⊛pónd]

動 返答する
- 「対応する」という意味もある
- **同** reply「返答する」 **名** response「返答, 反応」
- **名** respondent「回答者」

I'm sorry I didn't **respond** to your e-mail earlier.
あなたのメールにもっと早く返事をせずにすみません。

153 excellent
[éksələnt]

形 素晴らしい
- **同** great, wonderful, superb「素晴らしい」
- **副** excellently「素晴らしく」
- **名** excellence「優れていること」

You're doing an **excellent** job.
あなたは素晴らしい働きをしています。

154 improve
[imprú:v]

動 向上させる
- 「向上する」という意味もある
- **名** improvement「向上, 改善」

We need to **improve** our service.
私たちはサービスを向上させる必要がある。

155 issue
[íʃu:]

名 問題
- 「(雑誌の) 号」という意味もある
- latest issue「最新号」
- **動** issue「出す, 発行する」

We have to address the **issue**.
私たちはその問題に取り組まなければならない。

156. limited
[límitid]

形 限られた
- **名** limit「限界, 制限」
- **動** limit「制限する」 limited edition「限定版」
- **形** limitless「制限のない, 無限の」
- -lessは「〜がない」という意味を表す接尾辞

This offer is for a **limited** time only.
この提供品は期間限定です。

157. promote
[prəmóut]

動 昇進させる
- 「促進する, 宣伝する」という意味もある
- **名** promotion「昇進」

Mr. Jones was **promoted** to assistant manager.
ジョーンズさんは次長に昇進した。

158. take place
[pleis]

行われる
- be heldに言い換えることができる

The meeting will **take place** next week.
会議は来週行われます。

159. call off
[kɔ́:l]

中止する
- **同** cancel「中止する」
- **関** postpone, put off「延期する」

The reception was **called off**.
パーティーは中止された。

160. according to
[əkɔ́:rdiŋ]

〜によると
- 「〜通りに」という意味もある
- **例** according to plan「計画通りに」

According to the weather forecast, it will rain tonight.
天気予報によると、今晩雨が降るそうです。

161 operate
[ápərèit/ɔ́p-]

動 運営する
- 「(機械を)操作する,手術する」などの意味もある
- 名 operation「事業, 操作, 手術」
- 形 operational「使用できる, 操業上の」

The company **operates** a coffee shop chain nationwide.
その会社は全国でコーヒーショップのチェーンを運営している。

162 post
[poust]

動 掲示する
- 「(人を)配属させる, (業務成績等を)発表する, 郵便物を出す」などの意味もある
- 名 post「柱, 職, 郵便物」

We will **post** the results on our Web site.
結果は私たちのウェブサイトに掲載します。

163 present
[prizént]

動 見せる
- 「贈る, 発表する, 上演する」などの意味もある
- 形 présent「出席している, 現在の」

She **presented** the results to her colleagues.
彼女は結果を同僚に見せた。

164 reason
[ríːzn]

名 理由
- 動 reason「判断する」 形 reasoned「道理に基づいた」 名 reasoning「推論, 論拠」
- 形 reasonable「妥当な」 副 reasonably「適度に」

Can you explain the **reason** for the delay?
遅れている理由を説明してもらえますか。

165 committee
[kəmíti]

名 委員会
- on the committee「委員になっている」
- 同 commission「委員会」

Ms. Forster is on the management **committee**.
フォースターさんは経営委員会のメンバーです。

166. file
[fáil]

動 (書類を)整理する
- 「(書類を)正式に提出する」という意味もある
- 名 file「ファイル」

She's **filing** some documents.
彼女は書類を整理している。

167. invitation
[ìnvətéiʃən]

名 招待状
- 動 invite「招待する」

Invitations for the ceremony have been sent.
式典への招待状が発送された。

168. maintenance
[méintənəns]

名 保守点検
- 動 maintain「保守整備をする, 保つ, 主張する」

The factory will be closed tomorrow for routine **maintenance**.
明日、定期保守点検のため工場は閉まります。

169. opportunity
[àpərt(j)ú:nəti/⊛ ɔ̀pər-]

名 機会
- 同 chance「機会」

You'll have the **opportunity** to ask questions after the talk.
講演の後、質問をする機会があります。

170. reduce
[rid(j)ú:s]

動 下げる
- 「減らす, 縮小する」という意味もある
- 同 cut, lower「下げる」
- 名 reduction「減少, 縮小」

They have recently **reduced** their prices.
彼らは最近、値段を下げた。

171 representative
[rèprizéntətiv]

名 代表者
- sales representative「営業担当者, 販売員」
- 動 represent「代表する, 表す」
- 名 representation「代表, 描写」

The sales **representative** gave us a demonstration.
営業担当者が私たちに実演をしてくれた。

172 support
[səpɔ́ːrt]

動 支援する
- 「支える, 支持する, 養う, 立証する」などの意味もある 名 support「支え, 援助, 応援」
- 形 supportive「励ましてくれる」

Thank you for **supporting** our charity.
当チャリティーをご支援いただきましてありがとうございます。

173 charge
[tʃáːrdʒ]

動 請求する
- 「起訴する, 非難する, 充電する」などの意味もある
- 名 charge「料金, 責任, 容疑」

They **charge** two dollars for delivery.
彼らは配送料として2ドルを請求する。

174 interview
[íntərvjùː]

動 面接する
- 名 interview「面接」
- 名 interviewer「面接をする人」
- 名 interviewee「面接を受ける人」

The personnel manager **interviewed** the candidates.
人事部長が候補者の面接をした。

175 satisfied
[sǽtisfaid]

形 満足した
- 後ろに前置詞withが続く 動 satisfy「満足させる」 形 satisfactory「満足のいく」 形 satisfying「満足を与える」 名 satisfaction「満足」

Most of our customers are **satisfied** with our services.
お客様のほとんどが当社のサービスに満足しています。

176 suggestion
[səgdʒéstʃən]

名 提案
- 動 suggest「提案する」
- 同 proposal, proposition「提案」

I have a **suggestion** for the schedule.
スケジュールに関して提案があります。

177 across
[əkrɔ́:s/əkrɔ́s]

前 向こう側に
- across from でもほぼ同じ意味になる

There's a supermarket **across** the street.
通りの向こう側にスーパーがある。

178 historical
[histɔ́:rikəl]

形 歴史に関する
- 「歴史上の, 歴史に残る」という意味もある historical figure「歴史上の人物」 名 history「歴史」 副 historically「歴史的に」 名 historian「歴史家」

The writer did a lot of **historical** research.
著者は歴史に関する調査をたくさん行った。

179 manufacturer
[mænjufǽktʃ(ə)rər]

名 製造業者
- 同 maker「製造業者, メーカー」
- 動 manufacture「製造する」
- 名 manufacturing「製造」

He works for a car **manufacturer**.
彼は自動車メーカーに勤めている。

180 consultant
[kənsʌ́lt(ə)nt]

名 コンサルタント
- 動 consult「相談する, 参照する(=refer to)」
- 名 consultation「相談, 協議, 診察, 参照」

We hired a management **consultant**.
私たちは経営コンサルタントを雇った。

181 appointment
[əpɔ́intmənt]

名 予約
- 「任命, 指名」という意味もある
- **動** appoint「任命する」(=nominate)

I have a doctor's **appointment** this afternoon.
私は今日の午後、病院の予約があります。

182 fit
[fit]

動 入れる
- 「(サイズなどが) 合う, 取り付ける」などの意味もある
- **形** fit「適した, 健康な」 **名** fitness「健康」

We can't **fit** more than thirty people in this room.
この部屋に30人以上入れるのは無理です。

183 inform
[infɔ́:rm]

動 知らせる
- inform〈人〉of〜 の組み合わせもある
- **同** notify「知らせる」 **名** information「情報」
- **形** informative「参考になる, 有益な」

We will **inform** you about the results soon.
結果について近々お知らせします。

184 advertise
[ǽdvərtàiz]

動 宣伝する
- **同** promote「宣伝する」 **名** advertisement「広告」 **名形** advertising「広告, 広告の」 advertising agency「広告代理店」

We have to **advertise** our products more widely.
私たちは製品をもっと広く宣伝しなければならない。

185 provide
[prəváid]

動 提供する
- provide〈人〉with〈物〉と provide〈物〉for〈人〉の用法がある

We can **provide** you with financial advice.
当社はあなたに金融アドバイスを提供できます。

186 review
[rivjúː]

動 再検討する

! 「よく調べる，批評を書く，復習する」という意味もある
名 review「検討，批評記事，復習」

The committee is **reviewing** the proposal.
委員会は企画案を再検討している。

187 editor
[édiṭər]

名 編集者

! editor in chief「編集長」
動 edit「編集する」 形 editorial「編集の」（名詞で「社説」という意味にもなる）

The publishing company is looking for an **editor**.
その出版社は編集者を求めている。

188 corporate
[kɔ́ːrp(ə)rət]

形 企業の 「法人化された，共同の」という意味もある 名 corporation「企業」
動 incorporate「組み込む，法人化する」
名 incorporation「結合，法人設立」
形 incorporated「法人組織の」

How can we promote our **corporate** image?
私たちはどうやって企業イメージを広めることができますか。

189 recommend
[rèkəménd]

動 薦める

! 名 recommendation「推薦，推薦状（＝reference）」
形 recommendable「推薦できる」

Can you **recommend** a good restaurant near here?
この近くでよいレストランを薦めてもらえますか。

190 indicate
[índəkèit]

動 示す

! 名 indication「兆候」
名 indicator「指標」

They **indicated** that the price is too high.
彼らは価格が高すぎると指摘した。

191. publish
[pʌ́bliʃ]

動 出版する
! 「発表する」という意味もある
名 publisher「出版社」 名 publishing「出版業」
名 publication「出版, 出版物」

They **publish** several fashion magazines.
彼らはいくつかのファッション誌を出版している。

192. statement
[stéitmənt]

名 声明
! 「明細書」という意味もある
動 state「述べる, 記載する」
financial statements「財務諸表」

The mayor issued a **statement** today.
市長は今日声明を出した。

193. welcome
[wélkəm]

動 歓迎する
! 「温かく迎え入れる」という意味もある
形 welcome「歓迎されている, 歓迎すべき, うれしい」 Welcome to ~「~へようこそ」

We **welcome** any suggestions for improvement.
私たちは改善のためのご提案を歓迎いたします。

194. sincerely
[sinsíərli, sn-]

副 心から ! 手紙やメールでは、結びとして署名の前に用いられる（日本語の「敬具」に相当）
形 sincere「誠実な」(=genuine)「正直な」(=honest)
名 sincerity「誠実さ」

We **sincerely** thank you for your support.
私たちはあなたのご支援に心より感謝いたします。

195. distribute
[distríbju(:)t]

動 配布する
! 「販売する」という意味もある
名 distribution「配布, 分配, 流通」
名 distributor「販売店, 卸売業者」

The monthly report was finally **distributed**.
月の報告書はようやく配布された。

196. accept
[əksépt]

動 受け入れる
- 形 acceptable「受け入れられる」
- 名 acceptance「受け入れ」

We **accepted** the offer.
私たちはその申し出を受け入れた。

197. financial
[fənǽnʃəl/⊕fai-]

形 財政の
- 副 financially「財政的に」
- 名 finance「財政, 金融」
- 動 finance「資金を出す」(=fund)

The company is asking for **financial** assistance.
その企業は財政援助を求めている。

198. promotion
[prəmóuʃən]

名 販売促進
- 「昇進」という意味も重要
- 形 promotional「宣伝の, 促進の」

We are doing a special **promotion** of French cheese.
私たちはフランス製チーズの特別販売キャンペーンを行っています。

199. organize
[ɔ́ːrɡənàiz]

動 準備する
- 「整理する, 手配する, 組織する」などの意味もある
- 名 organization「団体, 編成」 名 organizer「主催者」 形 organized「整理された, 組織された」

We're **organizing** an international conference.
私たちは国際会議の準備をしている。

200. renovate
[rénəvèit]

動 改修する
- 名 renovation「改修」

The hotel will be **renovated** next year.
そのホテルは来年改修される。

201 feature
[fíːtʃər]

動 展示する

! 「(出し物として)行う, 上演する, (俳優を)出演させる, (記事などを)特集する」などの意味もある
名 feature「特徴, 特集記事」

The exhibition **features** over fifty paintings by Picasso.
その展覧会では50点以上のピカソの絵画が展示されます。

202 replace
[ripléis]

動 後任となる

! 「(物を)取りかえる」という意味もある
名 replacement「交換, 交換品, 後任」

Who is going to **replace** Tina when she retires?
ティナが辞めたらだれが後任になるんですか。

203 investment
[invéstmənt]

名 投資

! 動 invest「投資する」
名 investor「投資家」
investment bank「投資銀行」

We made a huge **investment** in our new plant.
当社は新工場に巨額な投資をしました。

204 responsibility
[rispὰnsəbíləti/㊧-spɔ̀n-]

名 責任

! 形 responsible「責任がある」
Corporate Social Responsibility (略 CSR)
「企業の社会的責任」

It's your **responsibility** to keep your password safe.
自分のパスワードを守るのはあなたの責任です。

205 submit
[səbmít]

動 提出する

! 名 submission「提出, 服従, 従順」
同 hand in「提出する」

I **submitted** my application yesterday.
私は昨日、応募書類を提出した。

206 require
[rikwáiər]

動 求める
- 名 requirement「必要条件」

All employees are **required** to attend the workshop.
全従業員はその研修会への参加が求められています。

207 purchase
[pə́:rtʃəs]

動 購入する
- 同 buy「買う」
- 名 purchase「購入」 形 purchasing「購買の」
- purchasing power「購買力」

I **purchased** a car last year.
私は昨年、車を購入した。

208 specialize
[spéʃəlàiz]

動 専門とする
- 前置詞 in とセットで覚えよう
- 形 special「特別な」 名 specialist「専門家」
- 形 specialized「特化した」

We **specialize** in the production of kitchen knives.
当社は包丁の製造を専門にしています。

209 knowledge
[nálidʒ/nɔ́l-]

名 知識
- 形 knowledgeable「知識がある」

Knowledge of word processing is required for the position.
その職にはワープロの知識が求められている。

210 topic
[tápik/英 tɔ́pik]

名 話題
- 類 theme「テーマ」
- 形 topical「時事的な, 話題の」

The main **topic** of conversation was her new job.
会話の主な話題は彼女の新しい仕事だった。

第 2 章

絶対忘れてはならない頻出の 330

ターゲットライン　600点

211 agree
[əgríː]

動 同意する
! 「受け入れる, 一致する」という意味もある
名 agreement「合意, 一致」 形 agreed「同意した, 合意した」 形 agreeable「気持ちのよい, 同意できる」

I **agree** with you.
私はあなたに同意します。

212 detail
[ditéil/díːteil]

名 細部
! 「情報」という意味もある
in detail「細部にわたって, 詳細に」
動 detail「詳しく述べる」 形 detailed「詳しい」

The manager explained his plans in **detail**.
部長は計画を細部にわたって説明した。

213 degree
[digríː]

名 (温度などの) 度
! 「学位, 角度, 程度」などの意味もある
hold a degree in business「経営学の学位を持つ」

The temperature is expected to reach thirty **degrees** tomorrow.
明日は気温が30度に達する見込みです。

214 personal
[pə́ːrs(ə)nl]

形 個人的な
! 副 personally「個人的に」 名 person「人」
動 personalize「名前を記入する, 個人仕様にする」
名 personality「性格」

Mr. Newman left the company for **personal** reasons.
ニューマンさんは個人的な理由で会社を辞めた。

215 side by side
[said]

並んで
! 関 face to face「向かい合って」

They're sitting **side by side**.
彼らは並んで座っている。

216 attract
[ətrækt]

動 (人を)集める
- 「引きつける，魅了する」という意味もある
- 形 attractive「魅力的な」
- 名 attraction「魅力，呼び物」

The museum **attracts** one million visitors annually.
その博物館は毎年100万人の来訪者を集める。

217 audience
[ɔ́ːdiəns]

名 観客
- 単数形で集団を指す語
- 関 spectator「(スポーツの)観客」listener「(ラジオの)リスナー」viewer「(テレビの)視聴者」

There were many young people in the **audience**.
観客の中に若い人がたくさんいた。

218 far
[fɑːr]

副 はるかに
- 「遠くに」という意味もある
- 形 far「遠くの，極端な」

The town's crime rate is **far** below the national average.
この町の犯罪率は全国平均よりはるかに低い。

219 on display
[displéi]

陳列してある
- 動 display「陳列する，表示する」
- 名 display「陳列」

Some vegetables are **on display**.
野菜が陳列されている。

220 past
[pǽst/⊕ pɑ́ːst]

形 最近の
- 「過去の，終わった」という意味もある
- 同 last「最近の」 前 past「~を過ぎて，~を越えて」 名 past「過去」

I've been on a diet for the **past** two weeks.
私はこの2週間ダイエットをしている。

絶対忘れてはならない頻出の330

221 series
[sí(ə)ri:z]

名 連続
- sで終わっていても単数形
- series of ~「一連の~」

I enjoyed Professor Turner's **series**.
私はターナー教授の連続講義を楽しんだ。

222 vehicle
[ví:ikl]

名 乗物
- 同 car, automobile「車」
- 「伝達手段, 媒体」という意味もある
- vehicle currency「基幹通貨」

The parking lot holds over seven hundred **vehicles**.
その駐車場は700台以上の車両を収容できる。

223 deal with
[dí:l]

~に対処する
- dealの過過分 dealt
- 名 deal「取引」

We have to **deal with** the problem quickly.
私たちは早急にその問題に対処しなければならない。

224 depart
[dipá:rt]

動 出発する
- 反 arrive「到着する」 arrival「到着」
- 名 departure「出発」

Your flight is **departing** from terminal 2.
あなたの乗る便は第2ターミナルから出発します。

225 plenty of
[plénti]

たくさんの~
- 同 a lot of, lots of「たくさんの~」
- a (large, great, good) number of ~「たくさんの~」

We have **plenty of** time before the meeting.
会議の前に時間がたくさんある。

226 stack
[stǽk]

動 積み重ねる
- 同 pile「積み重ねる」
- 名 stack「積み重ね」

Boxes are **stacked** on top of each other.
箱が積み重ねられている。

227 vacant
[véik(ə)nt]

形 空いている
- 同 unoccupied「空いている」
- 名 vacancy「空き」

There was only one **vacant** room in the hotel.
そのホテルにはたったひとつの空室しかなかった。

228 absent
[ǽbs(ə)nt]

形 欠勤して
- 「いない」という意味が基本
  be absent from ～「～にいない」
- 反 present「出勤して」

Susan is **absent** today.
スーザンは今日、欠勤している。

229 foreign
[fɔ́ːrən/⊕fɔ́r-]

形 外国の
- 名 foreigner「外国人」
  foreign currency「外貨」

I like learning **foreign** languages.
私は外国語を学ぶのが好きです。

230 sightseeing
[sáitsìːiŋ]

名 観光
- the sights「観光名所」
- 名 sight「視力, 見ること, 光景, 視界」

We didn't have much time for **sightseeing**.
私たちは観光をする時間があまりなかった。

絶対忘れてはならない頻出の **330**

231. uniform
[júːnəfɔːrm]

名 制服
- 関 clothes「衣服」clothing「衣類」
  dress「ドレス, ワンピース, 正装」
  wear「衣類」gear「衣服」costume「衣装」

Do you have to wear a **uniform** at work?
あなたは職場で制服を着なくてはなりませんか。

232. import
[(米)impɔ́ːrt] [(英)ímpɔːrt]

動 輸入する
- 反 export「輸出する」
  名 import「輸入, 輸入品」
  名 importer「輸入業者」

We **import** coffee beans from Colombia.
当社はコロンビアからコーヒー豆を輸入しています。

233. official
[əfíʃəl]

形 正式な
- 副 officially「正式に」
  名 official「公務員, 職員」

The **official** opening of the gallery is scheduled for January.
その美術館の正式な開館は1月に予定されている。

234. remember
[rimémbər]

動 覚えている
- 関 remind「思い出させる」 反 forget「忘れる」
  remember to 〈不定詞〉「忘れずに〜する」
  remember 〜ing「〜したことを覚えている」

Do you **remember** Richard Morgan?
リチャード・モーガンを覚えていますか。

235. colleague
[káliːɡ/(英)kɔ́liːɡ]

名 同僚
- 同 co-worker「同僚」

I went to the restaurant with my **colleagues**.
私は同僚とそのレストランに行った。

236 **in fact** [fækt]

実際には
- 類 actually「実は」

Sales didn't increase last month; **in fact** they decreased sharply.
先月、売り上げは増加しなかった。実際には急激に下がった。

237 **paragraph** [pǽrəgræf/-grɑ̀ːf]

名 段落
- 関 sentence「文」 line「行」

You should put a space between **paragraphs**.
段落の間にスペースを入れるべきです。

238 **plant** [plǽnt/英 plɑ́ːnt]

名 工場
- 「植物」という意味もある
- 同 factory「工場」
- 動 plant「植える」

We opened a new **plant** in China.
当社は新工場を中国に開いた。

239 **rent** [rént]

動 賃借（賃貸）する
- 料金を払って借りるという意味 貸すの意味もある
- 名 rent「家賃, 使用料」
- 名 rental「賃貸」

I'd like to **rent** a car for two days.
2日間、車を借りたいのですが。

240 **sample** [sǽmpl/英 sɑ́ːmpl]

名 実例
- 「見本, 標本, 試料」という意味もある
- 動 sample「試食・試飲する, 調査対象に選ぶ」

We would like to see some **samples** of your work.
あなたの作品の実例を何点か拝見したいと思います。

絶対忘れてはならない頻出の 330

241 unable
[ʌnéibl]

形 出来ない

! unable to ~「~することが出来ない」
反 able「出来る」
un- は反対の意味を表す接頭辞

I was **unable** to open the file.
私はそのファイルを開くことが出来なかった。

242 try on
[trái]

試着する

! try は「試す」という意味
関 fitting room「試着室」

She's **trying on** a hat.
彼女は帽子を試着している。

243 brochure
[brouʃúər / bróuʃər]

名 パンフレット　! 類 pamphlet「パンフレット, 小冊子」booklet「パンフレット, 小冊子」leaflet「ちらし, ビラ」flyer「ちらし, ビラ」「宣伝用パンフレット」は brochure が一般的

You can find out more details from our **brochure**.
詳細は当社のパンフレットでご確認いただけます。

244 excited
[iksáitid]

形 興奮している

! 形 exciting「興奮させる」
人の気持ちは -ed, 人の気持ちに働きかける作用は -ing

I'm **excited** about the new project.
私は新しいプロジェクトに興奮している。

245 final
[fáinl]

形 最終の

! final exam「期末試験」
副 finally「ようやく, 最後に」
動 finalize「最終的な形にする」

We'll make the **final** decision next week.
私たちは来週、最終決定を下します。

246 popular
[pápjulər / ⊕ pɔ́pjulə]

形 人気のある

! 名 popularity「人気」
副 popularly「広く，一般に」

This cell phone model is very **popular** right now.
この携帯電話の機種は今、とても人気があります。

247 basic
[béisik]

形 基本的な

! 副 basically「基本的に」
名 basics「基礎，基本的なもの」

I'm learning **basic** cooking skills.
私は調理の基本技術を学んでいます。

248 compare
[kəmpéər]

動 比べる

! compare A to/with B「AとBを比べる」
名 comparison「比較」
形 comparative「比較の」

Let's **compare** them carefully before making a decision.
結論を出す前にそれらをよく比べてみましょう。

249 press
[pres]

動 押す

! 同 push「押す」 名 press「報道機関，印刷」
press conference「記者会見」
名 pressure「圧力」

Press the red button to start the machine.
この機械を作動させるには赤いボタンを押してください。

250 regular
[régjulər]

形 定期的な

! 「いつもの，規則正しい，普通の」などの意味もある
副 regularly「定期的に」
名 regularity「規則性」

There's a **regular** bus service to the city center.
市の中心に向かうバスの定期運行があります。

絶対忘れてはならない頻出の **330**

251 seem
[síːm]

動 〜のように見える

- seem to 〈不定詞〉「〜するように見える」
  seem to 〈人〉「〜にはそう見える」
- 副 seemingly「見たところでは」

The company **seems** to be doing poorly.
その会社は業績が良くないようです。

252 along with
[əlɔ́ːŋ]

一緒に

- with だけでも「一緒に」という意味になる
  along 単独では「〜に沿って」という意味

Please send your résumé **along with** a cover letter to us.
履歴書をカバーレターと共に当方へお送りください。

253 communication
[kəmjùːnəkéiʃən]

名 コミュニケーション

- 動 communicate「伝える,情報を交換する,コミュニケーションをとる」 形 communicative「話好きの,コミュニケーションの」

Applicants should have good **communication** skills.
応募者は優れたコミュニケーション能力が必要です。

254 example
[igzǽmpl/-záːm-]

名 例

- for example「例えば」

Can you give me an **example**?
例を挙げてもらえますか。

255 instead
[instéd]

副 代わりに

- instead of 〜「〜の代わりに」

Can I have chicken **instead** of beef?
牛肉の代わりに鶏肉をいただけますか。

256 luggage
[lʌ́gidʒ]

名 手荷物

同 baggage「手荷物」
luggage, baggage はともに不可算名詞

I'll carry your **luggage**.
あなたの荷物をお持ちいたします。

257 no longer
[lɔ́:ŋgər/⊛lɔ́ŋgə]

もう〜でない

He doesn't work here any longer. でも下の例文と同じ意味になる

He **no longer** works here.
彼はもうここでは働いていません。

258 steel
[sti:l]

名 鉄鋼

steel industry「鉄鋼業」

This tool is made of stainless **steel**.
この工具はステンレス鋼でできている。

259 climb
[klaim]

動 登る

climb の b は発音しない

She's **climbing** the stairs.
彼女は階段を登っている。

260 reschedule
[ri:skédʒu:l/-ʃéd-]

動 予定を変更する

re- は「再び」という意味がある接頭辞

I'd like to **reschedule** my appointment.
予約の変更をしたいと思います。

絶対忘れてはならない頻出の 330

261 afraid
[əfréid]

形 残念に思う
! 「恐れている」という意味もある

I'm **afraid** he's not here now.
申し訳ございませんが彼は今ここにいません。

262 carry
[kǽri]

動 (商品を)置いている
! 「持つ, 運ぶ」などの意味もある
類 sell「販売する」

We **carry** a variety of hair care products.
当店はさまざまなヘアケア製品を取り揃えております。

263 continue
[kəntínjuː]

動 続く
! 「続ける」という意味もある **形** continuous「絶え間のない」 **副** continuously「絶え間なく」 **形** continued「継続する」

The rain will **continue** until tomorrow.
雨は明日まで続く見込みです。

264 feedback
[fíːdbæk]

名 フィードバック
! 不可算名詞

Dave gave me some **feedback** on the draft.
デーブは私の原稿にフィードバックをしてくれた。

265 former
[fɔ́ːrmər]

形 前の
! 「元の」という意味もある
類 previous「以前の」
副 formerly「以前は」

Mr. McCarthy is my **former** employer.
マッカーシーさんは私の前の雇用主です。

266 range
[reindʒ]

名 幅
- 種類が豊富であることを表す表現：
a wide variety/choice/selection/array of ～
- 動 range「及ぶ」

We offer a wide **range** of services.
当社は幅広いサービスを提供しています。

267 borrow
[bárou/英 bórou]

動 借りる
- 反 lend「貸す」(borrow, lend は通常は無料で「借りる」「貸す」) 類 rent「賃借(賃貸)する」

You can **borrow** five books at a time.
あなたは一度に5冊の本を借りられます。

268 branch
[bræntʃ/英 brá:ntʃ]

名 支店
- 「枝」が元の意味
- 「部門, 分流」という意味もある
- 関 headquarters「本社」

We have five overseas **branches**.
当社は5つの海外支店がある。

269 a couple of
[kʌ́pl]

2〜3の
- 「2つの, 2人の」という意味でも使われる
- 名 couple「カップル」

It will take **a couple of** days.
それは2〜3日、かかる。

270 delicious
[dilíʃəs]

形 とてもおいしい
- 類 tasty「おいしい」

The food was **delicious** and the service was also excellent.
料理はとてもおいしく、またサービスも素晴らしかった。

絶対忘れてはならない頻出の330

271. repeat
[ripíːt]

動 繰り返す

! 名 repeat「繰り返し,再放送」
形 repeated「繰り返された」
副 repeatedly「繰り返して」

We mustn't **repeat** the same mistake again.
また同じ間違いを繰り返してはいけない。

272. shift
[ʃíft]

名 (仕事の) シフト

! 「変化」という意味もある
動 shift「変わる,移動する」

I'm on the late **shift** tomorrow.
私は明日は遅番です。

273. banquet
[bǽŋkwit]

名 晩餐会

! フォーマルな夕食会のこと
関 reception「宴会,パーティー」

The awards **banquet** will be held in ballroom B.
受賞晩餐会はボールルームBで行われます。

274. cycle
[sáikl]

動 自転車に乗る

! 「循環させる」という意味もある 名 cycle「周期」
名 cycling「サイクリング」
名 cyclist「サイクリスト」 名 bicycle「自転車」

Michelle **cycles** to work.
ミッシェルは自転車で通勤している。

275. excuse
[ikskjúːz]

動 許す

! 「弁解する」という意味もある
Excuse me「すみません」(注意を引くときの表現) 名 excuse「言い訳,口実」

Excuse me, could I have a menu please?
すみません、メニューをください。

276 export
[米 ikspɔ́ːrt] [英 ékspɔːrt]

動 輸出する
- 反 import「輸入する」
- 名 export「輸出, 輸出品」
- 名 exporter「輸出業者」

We **export** food products to European countries.
当社は食品をヨーロッパ諸国に輸出しています。

277 glad
[glæd]

形 うれしい
- would/will be glad to ～「喜んで～します」

I'm **glad** you liked it.
それを気に入ってもらえてうれしいです。

278 would you mind (~ing?)

～していただけますか
- 人に頼みごとをするときの表現
  後ろに動詞の～ing形を続ける

Would you mind opening the door please?
ドアを開けていただけますか。

279 shake
[ʃeik]

動 振る
- 「震える, 揺らす」などの意味もある
  shake hands「握手をする」
- 名 shake「振ること, 震え, (飲み物の)シェイク」

They're **shaking** hands.
彼らは握手をしている。

280 gain
[géin]

動 増やす
- 「得る (=get)」という意味もある
- 名 gain「増加, 利益」

I've **gained** a little weight.
私は体重を少し増やした。

絶対忘れてはならない頻出の330

281 warn
[wɔːrn]

動 警告する
! 名 warning「警告, 注意」

He **warned** me against a risky investment.
彼は私に危険性の高い投資に対して警告した。

282 full-time
[fúltáim]

形 常勤の
! 反 part-time「非常勤の」

All **full-time** employees receive benefits.
すべての常勤の従業員は手当を受けている。

283 instrument
[ínstrəmənt]

名 楽器 ! musical「音楽の」がなくても「楽器」という意味になる 「道具, 機器」という意味もある 形 instrumental「重要な役割を担う, 楽器演奏だけの」

He's playing a musical **instrument**.
彼は楽器を演奏している。

284 adjust
[ədʒʌ́st]

動 調整する
! 名 adjustment「調整, 修正, 適応」
形 adjustable「調整できる」

I don't know how to **adjust** the volume.
どうやって音量を調整するのかわかりません。

285 author
[ɔ́ːθər]

名 著者
! 同 writer「作家」
動 authorize「承認する」

Mr. Simpson is the **author** of numerous books.
シンプソンさんは多くの本の著者である。

286 modern
[mádərn/⊕mɔ́dərn]

形 現代の
- 「最新の」という意味もある
- 同 contemporary「現代の」
- 動 modernize「近代化する, 改革する」

Do you like **modern** art?
現代美術はお好きですか。

287 notice
[nóutis]

動 気が付く
- 名 notice「通知, お知らせ, 掲示」
- 形 noticeable「目立った, 著しい」(=marked)

I **noticed** Jane is not here today.
私は今日、ジェーンがいないことに気が付きました。

288 out of order
[ɔ́:rdər]

故障している
- 類 not working「作動していない」 out of service「運休している」 反 in working order, in running order「使える状態である」

The copy machine is **out of order** again.
コピー機はまた故障している。

289 serious
[sí(ə)riəs]

形 本気の
- 「まじめな, 重大な, 深刻な」などの意味もある
- 副 seriously「まじめに, 深刻に」

Are you **serious** about leaving your job?
あなたは本気で仕事を辞めるつもりですか。

290 share
[ʃέər]

動 一緒に使う
- 「分ける, 話す」という意味もある
- 名 share「分け前, 分担, 株式, 市場占有率」

I'm **sharing** an office with Ben.
私はベンと一緒にオフィスを使っている。

291 guess
[gés]

動 思う

! 「推測する, 当てる」などの意味もある
I guess の 類 I think「〜だと思う」
名 guess「推測」make a guess「見当をつける」

I **guess** we should start the meeting without him.
私たちは彼抜きで会議を始めるべきだと思います。

292 plus
[plʌs]

前 加えて

! 反 minus「引いて」
名 plus「プラスになるもの」
形 plus「プラスとなる」

The bedside lamp costs fifty dollars **plus** tax.
ベッドサイドランプは50ドルに税金を加えた値段である。

293 version
[vˈɚːrʒən/-ʃən]

名 版

! the final version「最終版」
a pirate version「海賊版」

Do you have the latest **version** of the software?
あなたはそのソフトウェアの最新版を持っていますか。

294 clerk
[klˈɚːrk]

名 係員

! desk clerk「ホテルのフロント係」
salesclerk「店員」(《イギリス英語》shop assistant)

The desk **clerk** told us to wait in the lobby.
受付係は私たちにロビーで待つように告げた。

295 distance
[dístəns]

名 距離

! in the distance「遠くに」
形 distant「距離の離れた」
long distance「長距離」

There are mountains in the **distance**.
遠くに山がある。

296 hang
[hæŋ]

動 掛かる
- 過去分 hung

Some pictures are **hanging** on the wall.
絵が数枚壁に掛かっている。

297 pass out
[pǽs/⊕pɑ́ːs]

配る
- 同 distribute, hand out「配る」

She's **passing out** some papers.
彼女は書類を配っている。

298 earn
[ə́ːrn]

動 収益を上げる
- 「稼ぐ,(評判・尊敬などを)得る」などの意味もある
  earn a living「生計を立てる」
  名 earnings「収入, 収益」

The company **earned** four million dollars last year.
その会社は昨年400万ドルの収益を上げた。

299 overtime
[óuvərtàim]

名 残業
- do/work overtime「残業をする」

Janet did a lot of **overtime** in August.
ジャネットは8月に残業をたくさんした。

300 amount
[əmáunt]

名 量
- total amount「合計額」
  a large amount of〈不可算名詞〉「多量の〜」
  a large number of〈可算名詞〉「多数の〜」

We've spent a large **amount** of money on this project.
当社はこのプロジェクトに巨額の資金を費やしている。

絶対忘れてはならない頻出の330

301 chair
[tʃéər]

動 司会を務める
- 名 chairperson「議長」
- 名 chair「いす, 司会者」

Mr. Blair **chaired** the meeting.
ブレアさんはミーティングの司会を務めた。

302 describe
[diskráib]

動 述べる
- 「言葉で表す」という意味
- 名 description「記述, 描写, 説明」
- 形 descriptive「記述的な, 描写的な」

Can you **describe** what happened?
何が起こったのか説明してもらえますか。

303 previous
[príːviəs]

形 以前の
- previous year「前年」
- 類 former「前の, 元の」
- 副 previously「以前に, これまでに」

Do you have any **previous** experience in this field?
この分野で以前の経験はありますか。

304 security
[sikjú(ə)rəti]

名 警備
- 「安心, 担保」という意味もある
- 形 secure「安全な, 確かな」
- 副 securely「しっかりと」

Security was tight at the airport.
空港の警備は厳重だった。

305 collect
[kəlékt]

動 集める
- 同 gather「集める」
- 名 collection「収集, 収集物, (美術品等の) コレクション」
- 形 collective「集団の」

We're trying to **collect** customer information.
私たちは顧客情報を集めようとしている。

306 enclose
[inklóuz]

動 同封する

! Enclosed is/are ~「~が同封されています」(手紙で使われる表現) 名 enclosure「同封物」 関 attach「添付する」 attachment「添付物」

Please **enclose** a copy of your passport.
パスポートのコピーを同封してください。

307 retire
[ritáiər]

動 退職する

! 名 retirement「退職」 名 retiree「退職者」 関 resign「辞任する」 leave「辞める」 quit「辞める」

Ms. Gates is going to **retire** next month.
ゲイツさんは来月退職する。

308 serve
[sə́ːrv]

動 (飲食物を)出す

! 「仕える, 役立つ, 任務を果たす」などの意味もある 名 server「給仕する人」 名 service「サービス, 接客, 修理, 勤務, 公共事業」 動 service「修理する」

She's **serving** some food.
彼女は料理を出している。

309 agenda
[ədʒéndə]

名 議題

! 関 minutes「議事録」

I got a copy of the **agenda** for tomorrow's meeting.
私は明日の会議の議題を受け取りました。

310 at all times
[taimz]

常時

! 同 always「いつも」 all the time「いつでも」 類 anytime「いつでも」

You must carry this card **at all times**.
常にこのカードを携帯しなくてはいけません。

絶対忘れてはならない頻出の330

311. actual
[ǽktʃu(ə)l]

形 実際の
- 副 actually「実際は」
- 反 nominal「名目の」

The **actual** cost was much higher than our initial estimate.
実際の費用は私たちが出した当初の見積もりより大分高かった。

312. announcement
[ənáunsmənt]

名 お知らせ
- 動 announce「知らせる, 発表する」
- 同 notice「通知」

I'd like to make an **announcement**.
お知らせしたいことがあります。

313. approve
[əprúːv]

動 承認する
- 反 disapprove「承認しない」
- 名 approval「承認, 許可」

The board of directors **approved** my proposal.
役員会は私の企画案を承認した。

314. based
[beist]

形 基づく
- 「拠点とする」という意味もある
- based on ～「～に基づいている」
- based in ～「～を本拠地としている」

The movie is **based** on a true story.
その映画は実話に基づいている。

315. effective
[iféktiv]

形 効果的な
- 「(ある期日から) 実施される」という意味もある
- 名 effect「効果」
- 副 effectively「効果的に」
- 名 effectiveness「有効性」
- 動 affect「影響を与える」

The advertisement was highly **effective**.
その広告はとても効果的だった。

316 engineer
[èndʒəníər]

名 技術者
- 名 engineering「工学技術」

He joined the company as a civil **engineer**.
彼は土木技師として入社した。

317 explain
[ikspléin]

動 説明する
- 名 explanation「説明」

He **explained** it to me, but I didn't get it.
彼はそれを私に説明してくれましたが、私は理解できませんでした。

318 frequently
[frí:kwəntli]

副 頻繁に
- 同 often「頻繁に」 反 infrequently「まれに」
- 形 frequent「よくある」 名 frequency「頻度, 周波数」 動 frequent「よく行く」

Trains run **frequently** to London.
ロンドン行きの電車が頻繁に出ています。

319 government
[gávər(n)mənt]

名 政府
- local government「地方自治体」
- 動 govern「統治する」 形 governmental「政府の」 名 governor「知事」

The **government** is planning to cut taxes.
政府は減税を計画している。

320 instruction
[instrʌ́kʃən]

名 使用説明書
- 「説明書」という意味では複数形
- 「指示, 教え」という意味もある
- 動 instruct「教える, 指示する」

Please read the **instructions** carefully before using it.
これを使う前に使用説明書をよくお読みください。

絶対忘れてはならない頻出の **330**

321 reserve
[rizə́:rv]

動 予約する
- 同 book「予約する」
- 名 reservation「予約」

We need to **reserve** a meeting room.
私たちは会議室を予約する必要があります。

322 science
[sáiəns]

名 科学
- 形 scientific「科学的な」 副 scientifically「科学的に」 名 scientist「科学者」 名 biology「生物学」chemistry「化学」physics「物理学」

Science and technology are important for society.
科学と技術は社会にとって重要である。

323 shortly
[ʃɔ́:rtli]

副 まもなく
- 同 soon「まもなく」 形 short「短い」
- 動 shorten「短くする」
- short of ~「~が足りない」

Our customer service representative will take your call **shortly**.
当社のカスタマーサービス担当者があなたの電話をまもなくお取りいたします。

324 decrease
[dikrí:s]

動 下がる
- 「減らす」という意味もある
- 名 decrease「減少」
- on the decrease「次第に減少して」

The price of oil has **decreased** by ten percent.
原油価格は10パーセント下がった。

325 outlet
[áutlèt]

名 店舗
- 「はけ口, (電気の)コンセント, 直販店」などの意味もある retail outlet「小売店」

The fast-food chain has over four hundred **outlets** in the area.
そのファーストフードチェーンはこの地域に400以上の店舗を持っている。

326 sponsor
[spánsər/spón-]

動 後援する
- 「援助する, 支持する」などの意味もある
- 名 sponsor「スポンサー, 賛同者」
- 名 sponsorship「援助, 後援」

The concert was **sponsored** by several local businesses.
そのコンサートはいくつかの地元企業によって後援された。

327 waste
[weist]

名 無駄
- 「廃棄物」という意味もある　industrial waste「産業廃棄物」　waste disposal「廃棄物処理」
- 動 waste「無駄にする, 浪費する」

The meeting was a complete **waste** of time.
そのミーティングは完全な時間の無駄だった。

328 afford
[əfɔ́:rd]

動 〜する余裕がある
- can/couldの後ろに続く
- 形 affordable「手ごろな価格の」(≒ cheap, inexpensive, reasonable)

We can't **afford** to buy a new car.
私たちは新しい車を買う余裕がない。

329 capital
[kǽpətl]

名 資本金
- 「首都」という意味もある
- 形 capital「主要な, 重要な, 資本の, 大文字の」

Companies can raise **capital** by selling stock.
企業は株を売ることで資本金を集めることが出来る。

330 view
[vjú:]

名 意見
- 「見ること, 眺め, 見方」などの意味もある
- 同 opinion「意見」
- 動 view「見る, 見なす」

What's your **view** on the issue?
この件に関するあなたの意見はどうですか。

絶対忘れてはならない頻出の 330

331 benefit
[bénəfit]

名 恩恵
- 「諸手当, 給付金」という意味もある
- **動** benefit「ためになる, 得をする」
- **形** beneficial「ためになる, 有益な」

The new factory will bring considerable **benefits** to the region.　新工場はその地域に大きな恩恵をもたらすでしょう。

332 conduct
[(動)kəndʌ́kt] [(名)kɑ́ndʌkt]

動 行う
- 同 carry out「行う」
- **名** conductor「車掌, 指揮者」

We're **conducting** a survey on consumer preference.
私たちは消費者の嗜好について調査を行っています。

333 correct
[kərékt]

動 訂正する
- **形** correct「正しい」 **副** correctly「正しく」
- **名** correction「訂正」
- **形** corrective「正しくする」

I **corrected** a few mistakes in the report.
私は報告書の間違いをいくつか訂正した。

334 located
[lóukeitid/lo(u)kéitid]

形 位置する
- 同 situated「位置する」
- **動** locate「位置を見つける, 設置する」
- **名** location「場所」

Our hotel is conveniently **located** near the station.
当ホテルは駅の近くの便利な場所にあります。

335 pick up
[pík]

車で迎えに行く
- 「拾い上げる, 受け取る, 良くなる」などの意味もある
- 関 **名** pickup「小型トラック」

I'll **pick** you **up** at the airport.
私があなたを空港まで車で迎えに行きます。

336. technology
[teknάlədʒi/⊛-nɔ́lə-]

名 技術
- **形** technological「技術の」
- **副** technologically「技術的に」

We used the latest **technology** in our new product.
私たちは製品開発に最新技術を利用しました。

337. access
[ǽkses]

動 アクセスする
- **名** access「アクセス」
  名詞の場合は後ろに前置詞toが必要
- **形** accessible「利用しやすい, 近づきやすい」

I can **access** the database from the meeting room.
私はミーティング室からデータベースにアクセスできます。

338. consumer
[kənsúːmər/-sjúːm-]

名 消費者
- **動** consume「消費する」
- **名** consumption「消費」

The company sells its products directly to **consumers**.
その会社は製品を直接消費者に販売している。

339. deadline
[dédlàin]

名 締め切り
- **関** due「支払期日がきた」
  meet the deadline「締め切りを守る」

We have to meet the **deadline**.
私たちは締め切りを守らなければならない。

340. delay
[diléi]

動 遅らせる
- be delayed「遅れる」の形で使われることが多い
- **名** delay「遅れ」

His flight was **delayed** due to bad weather.
悪天候のため、彼の飛行機は遅れた。

341 encourage
[inkə́:ridʒ]

動 勧める
! 「勇気付ける, 促進する」などの意味もある
名 encouragement「励まし」

He **encouraged** me to start my own business.
彼は私に事業を始めるように勧めた。

342 release
[rilíːs]

動 公表する
! 「発売する, 自由にする, 放出する」などの意味もある　名 release「発表, 発売, 解放, 放出」

Results of the survey will be **released** soon.
その調査の結果はもうすぐ公表される。

343 result in
[rizʌ́lt]

〜になる
! result from〜「〜から結果として生じる」という用法もある
名 result「結果」　as a result「結果として」

These changes **resulted in** higher productivity.
それらの変更が高い生産性をもたらした。

344 subject to
[sʌ́bdʒekt]

〜する可能性がある
! 「〜を条件としている, 〜の支配下にある」という意味もある　名 subject「教科, テーマ, 件名」
形 subjective「主観的な」

Prices are **subject to** change without prior notice.
値段は予告なしに変更されることがあります。

345 condition
[kəndíʃən]

名 状態　! 「状況, 条件」などの意味もある
weather conditions「天候」　動 condition「条件付ける」　形 conditional「条件付きの」
副 conditionally「条件付きで」

The car is in good **condition**.
その車はよい状態にある。

346 electronics
[ilèktrániks/-trɔ́n-]

名 電子機器
! 形 electronic「電子の，電子機器による」
副 electronically「電子的に」

The store sells consumer **electronics**.
その店は家庭用電化製品を販売している。

347 expand
[ikspǽnd]

動 広げる
!「広がる，膨らむ」という意味もある
名 expansion「拡大，発展」

We're planning to **expand** our operations to Asia.
当社は事業をアジアに広げる計画を立てている。

348 individual
[ìndəvídʒuəl]

名 個人
! 形 individual「個々の，個人的な，個性的な」
副 individually「個別に」 形 individualized「個人に合わせた」 名 individuality「個性」

Mr. Bailey treats his employees as **individuals**.
ベイリーさんは従業員を個人として扱う。

349 method
[méθəd]

名 方法
! 同 way「方法」 means「方法」

I'll introduce you to our new research **method**.
私は新しい調査方法をご紹介します。

350 missing
[mísiŋ]

形 見つからない
! 動 miss「逃す，〜がいなくて寂しい」

One of the files is **missing**.
ファイルのひとつが見つからない。

絶対忘れてはならない頻出の **330**

351. originally
[ərídʒənəli]

副 初めは

- 形 original「初めの, 元の, 独創的な」
- 名 original「原本」 名 originality「独創性」
- 名 origin「起源」 動 originate「始まる, 考え出す」

The building was **originally** used as a hospital.
その建物は初めは病院として使われていた。

352. quickly
[kwíkli]

副 素早く

- 形 quick「素早い」
- 同 promptly, rapidly「素早く」

They fixed my car very **quickly**.
彼らは私の車をとても素早く修理した。

353. reach
[ríːtʃ]

動 連絡する

- 「到着する, 届く, 伸ばす, 手が届く」などの意味もある　注意 cell phoneはcellular phoneの略（=mobile phone「携帯電話」《イギリス英語》）

You can **reach** me at my cell phone.
私の携帯電話にかけてもらえれば、連絡がとれます。

354. region
[ríːdʒən]

名 地域

- 「部分」という意味もある
- 同 area「地域」
- 形 regional「地域の」

We have branches in the northern **region** of the island.
当社は島の北部地域に支店があります。

355. renew
[rin(j)úː/⊕-njúː]

動 更新する

- 「再開する」という意味もある
- 名 renewal「更新」

I need to **renew** my passport.
私はパスポートを更新する必要がある。

356 traffic
[trǽfik]

名 交通量
- traffic accident「交通事故」
  交通量が多い状態を表す場合もある

Traffic was heavy this morning.
今朝は交通量が多かった。

357 beyond
[bijánd/bijɔ́nd]

前 ～を越えて
- 「～の向こうに」という意味もある beyond description「言葉では言い表せない」 beyond repair「修理できない」 beyond control「コントロールできない」 beyond belief「信じられない」

The motorcycle was damaged **beyond** repair.
そのバイクは修理の域を超えるほどの損傷を受けた。

358 award
[əwɔ́ːrd]

名 賞
- 同 prize「賞」
- 動 award「与える」

He was given an **award** for his outstanding service.
彼は傑出した貢献に対して賞を贈られた。

359 convention
[kənvénʃən]

名 会議
- 「習慣, 協定」などの意味もある
- 形 conventional「従来の」

I met him at the **convention** last year.
私は去年、会議で彼に会った。

360 fund
[fʌnd]

名 資金
- raise fundsの組み合わせで覚えよう
- 動 fund「資金を出す」
- 形 fund-raising「資金集めの」

The auction was held to raise **funds** for the charity.
チャリティーへの資金を集めるため競売会が行われた。

絶対忘れてはならない頻出の **330**

361 recipe
[résəpi]

名 レシピ
! recipe for ~「~のレシピ」

The cookbook includes over five hundred **recipes** from Korea. その料理本は500以上の韓国のレシピが収録されている。

362 sign up for
[sain]

申し込む
! 同 enroll in/on/for, apply for「~に申し込む」
類 register for「~に登録する」

Have you **signed up for** the workshop?
そのワークショップに申し込みましたか。

363 track
[træk]

動 追跡する
! 「記録する」という意味もある
名 track「跡, 軌跡」
keep track of ~「~の消息を追う」

You can **track** your package online.
小包の配送状況をインターネット上で追跡できます。

364 would rather
[rǽðər/rúːðər]

~するほうがよい
! would rather A than B = prefer A to B「BよりAの方がよい」

I'**d rather** walk than take a taxi.
私はタクシーに乗るより、歩くほうがいいです。

365 as soon as possible

出来るだけ早く
! 略 ASAP
possibleは「可能な」という意味
as soon as ~「~するとすぐに」

Please reply to this e-mail **as soon as possible**.
出来るだけ早くこのメールにご返答ください。

366 allow [əláu]

動 認める
- allow A to ~「Aに~することを認める」
- 名 allowance「(定期的に渡される)手当, 許容量」

The law **allows** foreign students to work part-time.
法律は留学生がパートで働くことを認めている。

367 appear [əpíər]

動 出る   「~のように見える」という意味もある
- 名 appearance「外見」
- 形 apparent「明らかな, あたかも~のような」
- 副 apparently「どうやら~らしい」

Your article will **appear** in our November issue.
あなたの記事は当誌11月号に載ります。

368 average [ǽv(ə)ridʒ]

形 平均的な
- 「平均の」という意味もある
- 名 average「平均」
- on average「平均すると」

The **average** family spends about one hundred fifty dollars a week on food.
平均的な家庭は1週間に約150ドルを食品に使う。

369 avoid [əvɔ́id]

動 避ける
- avoidの後ろに動詞を続ける場合は-ing形
- 名 avoidance「回避」

You should **avoid** making the same mistakes again.
あなたは同じ間違いを再びすることを避けるべきです。

370 convenient [kənvíːnjənt]

形 都合のよい
- 「便利な」という意味もある
- 名 convenience「便利, 好都合, 便利なもの」
- 副 conveniently「都合よく, 便利に」

Is Tuesday morning **convenient** for you?
火曜日の午前中はご都合いかがでしょうか。

絶対忘れてはならない頻出の **330**

371 entertainment
[èntərtéinmənt]

名 娯楽
- ! 「演芸, 催し」という意味もある
- 動 entertain「楽しませる, もてなす, 考慮する」
- 形 entertaining「面白い」 名 entertainer「芸人」

Let's check the **entertainment** section of the newspaper.
新聞の娯楽欄をチェックしてみよう。

372 figure
[fígjər/fígər]

名 数字
- ! 「図表, 人物, 姿」などの意味もある
- 動 figure「目立つ, 判断する」

I'm checking the sales **figures**.
私は売上高を確認しています。

373 grand
[grænd]

形 はなやかな
- ! 「壮大な, 威厳のある, 大きい」などの意味もある
- grand opening はオープンを記念して行われる催し

The **grand** opening is scheduled for March.
オープン記念イベントが3月に予定されている。

374 in case of
[keis]

〜の際は
- ! 関 in case「念のため」
- 同 in the event of 〜「〜の際は」

Do not use the elevators **in case of** fire.
火災の際はエレベーターを使わないでください。

375 level
[lévl]

名 水準
- ! 「高さ, 階 (=floor), 地位」などの意味もある
- 形 level「平らな」
- 動 level「平らにする」

Traffic noise is now above an acceptable **level**.
現在、交通騒音は許容レベルを超えている。

376 moment
[móumənt]

名 短時間
- 「時期, 機会」という意味もある
  at the moment「現在」

I'll be back in a **moment**.
すぐ戻ります。

377 option
[ápʃən/⑱ ɔ́p-]

名 選択肢
- 同 choice「選択肢」
- 形 optional「任意の」

We have a few **options**.
私たちはいくつかの選択肢があります。

378 period
[píəriəd]

名 期間
- 形 periodic「定期的な」
- 副 periodically「定期的に」
- 名 periodical「定期刊行物」(≒ magazine「雑誌」)

The loan has to be repaid over a five-year **period**.
ローンは5年間にわたって返済されなければならない。

379 personnel
[pə̀ːrsənél]

名 従業員
- 「人事」(= human resources) という意味もある
- 同 staff, workers, employees「従業員」

All **personnel** must attend the meeting.
全従業員はミーティングに出なくてはならない。

380 procedure
[prəsíːdʒər]

名 手続き
- 形 procedural「手続きに関する」

What's the **procedure** for opening a bank account?
銀行の口座を開くための手続きはどのようなものですか。

絶対忘れてはならない頻出の330

381 reasonable [ríːznəbl]

形 手ごろな
- 「理にかなった」という意味が基になっている
- 類 affordable「手ごろな価格の」

The food was great, and the price was **reasonable**.
料理は素晴らしく、値段も手ごろだった。

382 rely [rilái]

動 頼る
- 前置詞 on とセットで覚えよう
- 形 reliable「頼りになる,信頼できる」

The country's economy **relies** on agriculture.
その国の経済は農業に頼っている。

383 respect [rispékt]

名 尊敬
- 「尊重,観点」などの意味もある　respect for ～「～に対する敬意」 動 respect「尊敬する」
- 形 respectable「立派な」 副 respectably「立派に」

Malcolm has earned the **respect** of his co-workers.
マルコムは同僚の尊敬を集めている。

384 search [səːrtʃ]

動 さがす
- 「調べる」という意味もある
- 同 look for, seek「さがす」
- 名 search「捜索,(コンピュータの)検索」

I **searched** for my credit card.
私はクレジットカードを捜した。

385 sharp [ʃáːrp]

副 ちょうどに
- 同 exactly, precisely「ちょうどに」
- 形 sharp「鋭い,急な,はっきりした」
- 副 sharply「急激に」

We will start the meeting at two-thirty **sharp**.
私たちは2時半ちょうどにミーティングを始めます。

386 suitable
[súːtəbl / ⓑ sjúːt-]

形 適した

! 動 suit「合う, 似合う」 名 suit「スーツ」
副 suitably「ふさわしく, 適切に」
名 suitability「適切さ」

This book is not **suitable** for children.
この本は子供にはふさわしくありません。

387 upcoming
[ʌ́pkʌ̀mɪŋ]

形 来たる

! come up「近づく」から派生した形容詞

I saw a poster for the **upcoming** festival.
私は近く行われるフェスティバルのポスターを見た。

388 commercial
[kəmə́ːrʃəl]

形 商業的な

! 「商業用の」という意味もある 名 commerce「商業」 名 commercial「(テレビやラジオの)コマーシャル」 副 commercially「商業的に」

The movie was a big **commercial** success.
その映画は大きな商業的成功を収めた。

389 extra
[ékstrə]

形 追加の

! 同 additional「追加の」
名 extra「追加のもの」

Do we need **extra** workers?
私たちは追加の従業員が必要ですか。

390 human resources
[rìsɔ́ːrsəz]

人事

! 同 personnel「人事」
human resources manager「人事部長」
resourceは「資源」という意味

I work in the **human resources** department.
私は人事部で働いている。

391 reception
[risépʃən]

名 歓迎会
- 「受付」という意味も重要
- 名 receptionist「受付係」

More than one hundred people attended the **reception** last night.
昨夜の歓迎会には100人以上が出席した。

392 stress
[strés]

動 強調する
- 同 emphasize「強調する」
- 名 stress「ストレス, 圧力, 強調」

The chief executive **stressed** the importance of workplace safety.
最高経営責任者は職場の安全の重要性を強調した。

393 transportation
[trænspərtéiʃən]

名 交通機関
- 「輸送」という意味もある
- 同 transport「交通機関」《イギリス英語》

The city has good public **transportation**.
その市には良い公共交通機関がある。

394 trend
[trend]

名 傾向
- 「流行」という意味もある

There's a **trend** toward shorter working hours.
労働時間が短くなる傾向にある。

395 value
[vælju(ː)]

名 価値
- 動 value「高く評価する」 形 valued「高く評価された」 形 valuable「貴重な, 高価な」 名 valuables「貴重品」

The **value** of our house rose sharply.
私たちの家の価値は急激に上がった。

396 profit
[práfit / 英 prɔ́fit]

名 利益
- 反 loss「損失」 動 profit「利益を得る」
- 形 profitable「利益をもたらす」
- 名 profitability「収益性」

They made a huge **profit** on the deal.
彼らはその取引で大きな利益を出した。

397 headquarters
[hédkwɔ́ːrtərz]

名 本社
- 単数形にも s が付く
- Our headquarters are... と言うこともある
- 関 branch「支社, 支店」

Our **headquarters** is in Toronto.
当社の本社はトロントにある。

398 refund
[英 ríːfʌnd][米 rifʌ́nd]

名 払い戻し
- 動 refund「払い戻す」
- 同 reimbursement「払い戻し」

I returned the item and got a full **refund**.
私は商品を返品して、全額払い戻しを受けた。

399 senior
[síːnjər]

形 (役職などが) 上位の
- 「年上の」という意味もある 反 junior「(役職, 年齢などが) 下の」 名 senior「年上の人, 地位が上の人」(反 junior「年下の人, 地位が下の人」)

He's one of our **senior** executives.
彼は当社の上級管理職のひとりです。

400 by mistake
[mistéik]

誤って
- 同 by accident, accidentally「誤って」
- 反 on purpose, deliberately, intentionally「わざと」

He took my file **by mistake**.
彼は誤って私のファイルを持って行った。

絶対忘れてはならない頻出の330

401
cause

[kɔ́ːz]

動 引き起こす
- 名 cause「原因, 理由, 大義」

Heavy traffic is **causing** delays on Highway 18.
18号線では交通渋滞により遅れが生じています。

402
decade

[dékeid]

名 10年
- ten years に言い換えることができる

The city has changed over the last **decade**.
その市はこの10年で変わった。

403
expire

[ikspáiər]

動 期限が切れる
- 名 expiration《アメリカ英語》, expiry《イギリス英語》「満了, 終結」
  expiration date「有効期限, 使用期限」(《イギリス英語》expiry date)

My passport has **expired**.
私のパスポートは期限が切れた。

404
income

[ínkʌm]

名 収入
- 個人の「所得」という意味にもなる
- 同 revenue「収入」
- 反 expenditure「支出」

Tourism is the main source of **income** in the region.
観光業はこの地域の主な収入源です。

405
immediate

[imíːdiət]

形 早急な
- 副 immediately「早急に」

We need to take **immediate** action.
私たちは早急な対応を取る必要があります。

406 questionnaire
[kwèstʃənéər]

名 アンケート

- 名 question「質問」
- 動 question「質問する, 疑問に思う」

Please complete the **questionnaire** after the seminar.
セミナーのあと、アンケートにご記入ください。

407 routine
[ruːtíːn]

名 習慣的に繰り返されること

- 「定められた手順」という意味もある
- 形 routine「決まった, いつもの」
- 副 routinely「いつものように」

Exercise is part of my daily **routine**.
運動は私の日課の一部です。

408 transfer
[(動)trænsfə́ːr] [(名)trǽnsfəːr]

動 転勤する

- 「転勤させる, 乗り換える, 移す」などの意味もある
- 名 transfer「転勤, 移動, 乗り換え」

Mr. Chen **transferred** from Taipei to Bangkok.
チェンさんは台北からバンコクへ転勤した。

409 complicated
[kámpləkèitid/(英)kɔ́m-]

形 複雑な

- 同 complex「複雑な」
- 動 complicate「複雑にする」
- 名 complication「複雑にするもの」

Our evaluation system is very **complicated**.
当社の評価システムはとても複雑です。

410 education
[èdʒukéiʃən/èdju-, èdʒu-]

名 教育

- 動 educate「教育する」
- 形 educational「教育的な」

The government has increased spending on **education**.
政府は教育の支出を増やした。

絶対忘れてはならない頻出の

330

411 greet
[griːt]

動 出迎える
- 「あいさつする」という意味もある
- **名** greeting「あいさつ」

The manager **greeted** us with a smile.
マネージャーは私たちを笑顔で出迎えてくれた。

412 influence
[ínfluəns]

名 影響力
- **動** influence「影響を与える」(＝affect)

The former president still has **influence** over the company.
元社長はまだ、会社に影響力を持っている。

413 lack
[lǽk]

名 不足
- lack of ～「～の不足」
- **同** shortage「不足」
- **動** lack「～が足りない」

The project was canceled due to a **lack** of funds.
資金不足のため、そのプロジェクトは中止になった。

414 mild
[maild]

形 温暖な
- 「軽い, マイルドな」などの意味もある
- **副** mildly「少し」(＝slightly)

We had a **mild** winter this year.
今年は暖冬だった。

415 normally
[nɔ́ːrməli]

副 普通は
- **同** usually「普通は」
- **形** normal「通常の」

I **normally** work forty hours a week.
私は通常、週40時間働きます。

416 physical
[fízik(ə)l]

形 身体の
- 副 physically「身体的に」
- 名 physician「医師」

I need to do **physical** exercise regularly.
私は定期的に身体的な運動をする必要がある。

417 polite
[pəláit]

形 礼儀正しい
- 「丁寧な」という意味もある
- 副 politely「丁寧に,礼儀正しく」

The hotel clerk was **polite** and helpful.
そのホテル従業員は礼儀正しく、親切だった。

418 population
[pɑ̀pjuléiʃən/🌐 pɔ̀pju-]

名 人口
- working population「労働人口」

What is the **population** of India?
インドの人口はどのくらいですか。

419 pour
[pɔ́ːr]

動 注ぐ
- 「雨が激しく降る,殺到する,光が出る」などの意味もある
- pour A into B「AをBに注ぐ」

She's **pouring** coffee into a cup.
彼女はコーヒーをカップに注いでいる。

420 instant
[ínstənt]

形 すぐの
- 「(食品等が)インスタントの」という意味もある
- 同 immediate「すぐの」
- 名 instant「瞬間」 名 instance「事例」
- for instance「例えば」(= for example)
- 副 instantly「すぐに」

The book was an **instant** success in California.
その本はカリフォルニアで即座の成功を収めた。

421 venue
[vén(j)uː]

名 会場
- 後ろに続く前置詞は for
- 例 the venue for the event「イベント会場」

Be sure to arrive at the **venue** on time.
必ず時間どおりに会場に到着するようにしてください。

422 resign
[rizáin]

動 辞任する
- 名 resignation「辞任」
- 関 retire「退職する」 leave「辞める」 quit「辞める」

The president **resigned** yesterday.
社長は昨日、辞任した。

423 attach
[ətǽtʃ]

動 添付する
- 手紙、メールともに使う
- 「取り付ける、愛着を持たせる」などの意味もある
- Attached is/are ~「~が添付されています」
- 名 attachment「添付ファイル, 付属品, 愛着」

I **attached** the conference schedule for your information.
ご参考までに会議スケジュールを添付いたしました。

424 cancel
[kǽnsəl]

動 取り消す
- 名 cancellation「取り消し, キャンセル」
- 同 call off「中止する」

I'd like to **cancel** my reservation.
予約の取り消しをお願いします。

425 common
[kámən/kɔ́m-]

形 よくある
- 「共通の」という意味もある
- in common「共通して」
- 副 commonly「一般に, 広く」

It's a **common** spelling mistake.
それはよくある綴りの間違いです。

426 conversation
[kànvərséiʃən/kɔ̀n-]

名 会話
- 類 chat「（カジュアルな）会話」
- 動 converse「会話する」

They're having a **conversation**.
彼らは会話をしている。

427 economical
[ìːkənámək(ə)l, èkə-/-nɔ́m-]

形 経済的な
- お金や時間などを節約できるという意味
- 形 economic「経済に関する」 名 economy「経済, 節約」 副 economically「経済的に」

It's more **economical** to buy in bulk.
まとめて買うほうが経済的です。

428 exchange
[ikstʃéindʒ]

動 交換する
- 「交わす」という意味もある 名 exchange「交換, 交換品, 取引所」 foreign exchange「外国為替」 stock exchange「証券取引所」

Can I **exchange** this jacket for a black one?
このジャケットを黒のものと交換することはできますか。

429 expert
[ékspəːrt]

名 専門家
- an expert in/on/at ~「~の専門家」
- 名 expertise「専門技術・知識」（後ろに続く前置詞はin）

Peter is a computer **expert**.
ピーターはコンピュータの専門家です。

430 extension
[iksténʃən]

名 内線
- 「拡張, 延長」などの意味もある
- 動 extend「伸ばす, 広げる」

What's your **extension** number?
あなたの内線番号は何番ですか。

絶対忘れてはならない頻出の **330**

431 familiar
[fəmíljər]

形 よく知っている
- familiar with ~「~のことをよく知っている」
- familiar to ~「~にとってなじみがある」
- 名 familiarity「よく知っていること」

Are you **familiar** with this software?
あなたはこのソフトウェアのことをよく知っていますか。

432 host
[hóust]

動 主催する
- 「番組の司会を務める」という意味もある
- 名 host「主催者, 司会者」

The city **hosts** a music festival every year.
その市は毎年、音楽祭を主催する。

433 ride
[ráid]

名 車に乗せること
- give 〈人〉a ride
- 動 ride「(乗り物に) 乗る」

Can you give me a **ride** to the station?
駅まで車に乗せていってもらえますか。

434 seek
[siːk]

動 求める
- 類 look for「探す」
- seek to ~「~しようとする」

We are **seeking** an accountant.
当社は経理担当者を求めています。

435 step down
[stép]

辞任する
- 同 resign「辞任する」

Ms. Garcia will **step down** from her post in December.
ガルシアさんは今の職を12月に辞める。

436 technique
[tekníːk]

名 手法
❗「技術, 技能」という意味にもなる
形 technical「技術上の, 専門的な」
副 technically「技術的に, 厳密にいえば」
名 technician「技術者」(≒ engineer「技術者」)

The agency uses various advertising **techniques**.
その代理店はさまざまな広告手法を使う。

437 temporary
[témp(ə)rèri/-rəri]

形 臨時の
❗「一時的な」という意味もある
反 permanent「恒久的な」
副 temporarily「一時的に」

I found a **temporary** job at a department store.
私はデパートでの臨時の仕事を見つけた。

438 factor
[fǽktər]

名 要因
❗ 同 element「要因」
deciding factor「決定的な要因」

What's the most important **factor** in choosing a job?
仕事を選ぶ際、最も重要な要因は何ですか。

439 assemble
[əsémbl]

動 組み立てる
❗「(人が) 集まる」という意味もある
名 assembly「組み立て, 集会, 議会」
assembly line「(工場の) 組み立てライン」

These computers were **assembled** in Taiwan.
これらのコンピュータは台湾で組み立てられた。

440 attention
[əténʃən]

名 注意
❗ pay attention to ～「～に注意を払う」
形 attentive「よく注意している, 心づかいの行き届いた」

I wasn't paying **attention** to him.
私は彼に注意を払っていなかった。

絶対忘れてはならない頻出の 330

441 invoice
[ínvɔis]

名 請求書
- 同 bill「請求書」

We've received an **invoice** for sixty-five dollars.
私たちは65ドルの請求書を受け取った。

442 prior to
[práiər]

〜の前に
- 同 before「〜の前に」 形 prior「事前の」

Please arrive fifteen minutes **prior to** your appointment.
予約時間の15分前に到着するようにしてください。

443 refreshment
[rifréʃmənt]

名 軽い飲食物
- 動 refresh「すっきりさせる」
- 形 refreshing「さわやかな」
- 関 beverage「飲み物」

Refreshments will be served after the meeting.
会議の後、軽い飲食物が出ます。

444 trust
[trʌ́st]

名 信用
- 「信託」という意味もある
- 動 trust「信用する、当てにする」
- 形 trustworthy「信用できる、当てにできる」

Honesty is the key to building **trust**.
誠実さは信用を築く鍵である。

445 plumber
[plʌ́mər]

名 配管工
- 名 plumbing「配管」

I called the **plumber** to fix the sink.
流しを修理するために配管工に電話した。

446 update
[動 ʌpdéit] [名 ʌ́pdeit]

動 更新する
- 「最新の情報を与える，新しいものに替える」という意味もある
- 名 úpdate「最新情報」(アクセントは前)

We **update** our Web site daily.
私たちは毎日ウェブサイトを更新する。

447 upstairs
[ʌ́pstéərz]

副 上の階に
- 形 upstairs「上の階の」
- 名 upstairs「上の階」
- 反 downstairs「下の階に」 関 stairs「階段」

We have a meeting room **upstairs**.
上の階に会議用の部屋があります。

448 manner
[mǽnər]

名 態度
- 「やり方，礼儀作法（この意味では複数形manners になる）」などの意味もある
- in a calm manner「落ち着いた態度で」

Matt acted in a professional **manner**.
マットはプロらしい態度で行動した。

449 consider
[kənsídər]

動 考える
- consider 〜ing「〜することを考える」
- 名 consideration「考慮，思いやり」
- 形 considerable「かなりの」 副 considerably「かなり」(＝significantly, substantially)

I'm **considering** taking the course.
私はそのコースを取ろうかどうか考えている。

450 executive
[igzékjutiv]

名 重役
- 形 executive「経営に関する，重役の」
- chief executive officer (略 CEO)「最高経営責任者」

Ms. James is an **executive** of a computer company.
ジェームズさんはコンピュータ会社の重役です。

絶対忘れてはならない頻出の **330**

451 means [míːnz]
名 手段
- means は単数形でも s が付く
- by all means「いかなる犠牲を払っても」

Do you have any **means** of identification?
身分を証明する手段を何かお持ちですか。

452 regarding [rigáːrdiŋ]
前 〜に関する
- 同 about, concerning, with regard to「〜に関する」 動 regard「〜と見なす」 名 regard「尊敬、関心」

We have received your letter **regarding** the defective products.
当社は欠陥商品に関するあなたからの手紙を受け取りました。

453 association [əsòusiéiʃən]
名 提携
- 「関連、協会、連想」などの意味もある in association with〜「〜と協力して」(= in cooperation with) 動 associate「関連付ける」 名 associate「仲間、共同経営者」

The book was published in **association** with the National Museum.
この本は国立博物館の協力によって出版された。

454 budget [bádʒit]
名 予算
- 動 budget「割り当てる」
- 形 budget「低価格の」(≒cheap, inexpensive, affordable, reasonable)

They're reviewing the **budget** for next year.
彼らは来年度の予算案を検討している。

455 contain [kəntéin]
動 含む
- 「中に入っている」という意味もある
- 名 container「容器」

This report **contains** information about the company's financial condition.
この報告書には会社の財政状況に関する情報が含まれています。

456 remain
[riméin]

動 ～のままでいる

! 「とどまる」(=stay)という意味もある
名 remainder「残り」(=rest)

Please **remain** seated during take-off.
離陸の際、座ったままでいてください。

457 chemical
[kémik(ə)l]

名 化学薬品

! agricultural chemical「農薬」
形 chemical「化学の、化学的な」
名 chemistry「化学」　名 chemist「化学者」

We use dangerous **chemicals** in our plant.
当社の工場では危険な化学薬品を使っている。

458 demonstrate
[démənstrèit]

動 実地説明をする

! 「証明する、はっきり示す」という意味もある
名 demonstration「デモンストレーション、実演」

I'll be **demonstrating** some of our new products.
当社の新製品のいくつかを実地説明いたします。

459 qualified
[kwáləfàid/kwɔ́l-]

形 適任である

! 「資格を持っている」という意味もある
動 qualify「資格を得る、資格を持つ、資格を与える」　名 qualification「資格、適正」

Tom is **qualified** for the position.
トムはその職に適任である。

460 revise
[riváiz]

動 修正する

! 「改訂する、復習する」という意味もある
名 revision「変更、見直し」

We have to **revise** the budget.
私たちは予算を修正する必要がある。

絶対忘れてはならない頻出の 330

461 relaxed
[rilǽkst]

形 くつろいだ
- 動 relax「リラックスする」
- 名 relaxation「くつろぎ, 緩和」

When she entered the room, she looked **relaxed**.
彼女は部屋に入ってきたとき、くつろいだように見えた。

462 upgrade
[ʌ́pgrèid]

動 改良する
- 「向上させる, 格上げする, アップグレードする」などの意味もある
- 名 upgrade「改良, アップグレード」

We can't afford to **upgrade** our facilities.
私たちは設備を改良する余裕がない。

463 accompany
[əkʌ́mp(ə)ni]

動 同行する
- 同 go with ~「~と一緒に行く」

Betty will **accompany** me to the conference.
ベティーは会議へ私を連れていく。

464 attitude
[ǽtət(j)ùːd]

名 態度
- 「見方, 姿勢」という意味もある
- 後ろに続く前置詞は to または toward(s)

He has a positive **attitude** to his work.
彼は自分の仕事に対して積極的な態度を取っている。

465 commute
[kəmjúːt]

動 通う
- 名 commute「通勤, 通学」
- 名 commuter「通う人」
- commuter train「通勤列車」

Amanda **commutes** to Montreal every day.
アマンダは毎日モントリオールに通っている。

466 competitive
[kəmpétətiv]

形 競争力のある

! 「競争が激しい，競争心の強い，他に負けない」という意味もある **動** compete「競う」 **名** competition「競争」 **名** competitor「競争相手, ライバル」

We need to cut labor costs to stay **competitive**.
私たちは競争力を保つため、人件費を削減する必要がある。

467 refuse
[rifjúːz]

動 拒否する

! 「(申し出などを)断る」という意味もある
反 accept「受け入れる」
名 refusal「拒否」

He **refused** to speak with journalists.
彼は報道関係者と話をすることを拒否した。

468 subscribe
[səbskráib]

動 定期購読する

! 後ろに続く前置詞は to
名 subscription「定期購読」
名 subscriber「定期購読者」

I **subscribe** to *Business Weekly*.
私はビジネスウィークリーを定期購読している。

469 process
[práses/ⓑpróuses]

動 処理する

! 「加工する」という意味もある
名 process「過程, 作用, 進行」
形 processed「加工された」

It will take two weeks to **process** your visa application.
あなたのビザ申請を処理するのに2週間かかります。

470 comment
[káment/kɔ́m-]

名 意見

! **動** comment「意見を述べる」
名詞・動詞ともに後ろに前置詞 on が続く

He made helpful **comments** on my proposal.
彼は私の企画書に有益な意見を出してくれた。

絶対忘れてはならない頻出の **330**

471 necessary
[nésəsèri]

形 必要な
- 「必然的な」という意味もある
- 類 essential, vital「絶対必要な」
- 名 necessity「必要, 必需品」

Is it **necessary** to fill out this form?
この用紙に記入する必要がありますか。

472 respectively
[rispéktivli]

副 それぞれ
- 形 respective「それぞれの」
- 関 in respect of ~「~に関して」

Auckland and Sydney were ranked fifth and tenth, **respectively**.
オークランドとシドニーはそれぞれ5位と10位にランク付けされた。

473 probable
[prábəbl/prɔ́b-]

形 起こりそうな
- 同 likely「起こりそうな」
- 類 possible「可能性がある」(probableより可能性が低い)
- 名 probability「見込み」(= likelihood)
- 副 probably「多分, おそらく」

It is **probable** that unemployment will rise further.
失業率はさらに上がる見込みだ。

474 efficient
[ifíʃənt]

形 効率のよい
- 「有能な」という意味もある
- energy efficient「燃費のよい」
- 名 efficiency「効率」
- 副 efficiently「効率的に」

We need more **efficient** methods of collecting data.
私たちはもっと効率のよいデータ収集方法が必要です。

475 identify
[aidéntəfài]

動 明らかにする
- 「身元を確認する」という意味もある
- 名 identification「身分証明」

First, we must **identify** problem areas.
はじめに私たちは問題点を明らかにしなければならない。

476 particular
[pərtíkjulər]

形 特定の
- 同 specific, certain「特定の」
- 副 particularly「特に」

Is there any **particular** movie you want to see?
何か特に見たい映画はありますか。

477 relocate
[ri:lóukeit, rí:-/˺˗˗˺]

動 移転する
- relocate to〈地名〉「〜へ移転する」
- 同 move to「〜へ引っ越す」
- 名 relocation「移転」

The company **relocated** to Los Angeles.
その会社はロサンゼルスに移転した。

478 remind
[rimáind]

動 思い出させる
- 関 remember「覚えている」
- 名 reminder「思い出させるもの」

My secretary **reminded** me about the meeting tomorrow.
秘書が私に明日の会議のことを思い出させてくれた。

479 compared with
[kəmpéərd]

〜と比べて
- compared to でも同じ意味になる
- 名 comparison「比較」

Our sales rose ten percent **compared with** last year.
当社の売り上げは昨年と比べ、10パーセント上がった。

480 establish
[istǽbliʃ]

動 設立する
- 「確立する, 証明する, 認めさせる」などの意味もある 同 found「設立する」
- 名 establishment「設立, 機関, 権力層」
- 形 established「すでにある, 定評のある」

The company was **established** in 1967.
その会社は1967年に設立された。

絶対忘れてはならない頻出の **330**

481. point out
[pɔint]

指摘する
- point out A to ~ 「~にAを指摘する」

He **pointed out** that these data are inaccurate.
彼はこれらのデータが正確でないことを指摘した。

482. property
[prápərti/⑱prɔ́pər-]

名 不動産
- 「財産, 所有物, 特性」などの意味もある

Property prices are falling this month.
今月、不動産の価格は下がっている。

483. restore
[ristɔ́:r]

動 修復する
- 「元の状態に戻す」という意味がある語
- 名 restoration「復元, 回復, 復興, 返還」

The building was **restored** after the fire.
その建物は火事のあと、修復された。

484. status
[stéitəs, ⑱ stǽtəs]

名 状況
- 「地位」という意味もある
- status quo「現状」

What's the **status** of our order?
私たちの注文品の状況はどうなっていますか。

485. expense
[ikspéns]

名 経費
- 類 expenditure「支出」
- 形 expensive「高価な」(=costly, pricey)

The company will cover travel **expenses**.
会社が旅費を出してくれます。

486 focus
[fóukəs]

動 焦点を合わせる
- 焦点を合わせる対象は前置詞onによって導く
- 「集中させる」という意味もある
- 名 focus「焦点, 中心」

The conference **focuses** on environmental issues.
その会議は環境問題に焦点を合わせている。

487 laboratory
[lǽb(ə)rətɔ̀:ri/ləbɔ́rət(ə)ri]

名 研究所
- 「実験室」という意味にもなる　略 lab

The company has a research **laboratory** in Miami.
その会社はマイアミに研究所を持っている。

488 obtain
[əbtéin]

動 得る
- 同 get「得る」
- 形 obtainable「手に入れることができる」

You must **obtain** permission from the publisher.
あなたは出版社から許可を得なければなりません。

489 reputation
[rèpjutéiʃən]

名 評判
- 形 reputed「～といわれている」

We have a **reputation** for quality.
当社は品質の良さで評判を得ている。

490 retail
[rí:teil]

名 小売り
- 反 wholesale「卸売り」
- 名 retailer「小売業者」
  (反 wholesaler「卸売り業者」)

You can buy these products at **retail** stores.
これらの製品は小売店でご購入いただけます。

491 contribute
[kəntríbjuːt]

動 寄付する
! 「貢献する, 原因となる, 寄稿する」という意味もある
toとセットで使われることが多い
名 contribution「寄付, 貢献, 寄稿」

Ms. Hunter **contributed** ten thousand dollars to the school.
ハンターさんはその学校へ1万ドルの寄付をした。

492 convince
[kənvíns]

動 納得させる
! 形 convinced「確信した」
形 convincing「説得力のある」(=persuasive)

We have to **convince** the president.
私たちは社長を納得させなければならない。

493 divide
[dəváid]

動 分ける
! 「隔てる, 割り算をする」などの意味もある
同 share「分ける」
名 division「部署(=department), 分割, 区画」

We should **divide** the profits equally among us.
利益は私たちの間で平等に分けるべきです。

494 fine
[fain]

名 罰金
! 動 fine「罰金を科す」
形容詞のfine (「よい, 優れた, 晴れた」などの意)
とはまったく別の意味

I got a 55-dollar **fine** for illegal parking.
私は違法駐車で55ドルの罰金を取られた。

495 inquire
[inkwáiər]

動 尋ねる
! enquireという綴りもある (主に《イギリス英語》)
名 inquiry「問い合わせ」
make an inquiry「問い合わせる」

I **inquired** about their service.
私は彼らのサービスについて尋ねた。

496 specific
[spisífik]

形 特定の
! 「厳密な」という意味もある 同 particular, certain「特定の」 副 specifically「特に, 厳密に」 名 specification「仕様書」

Each product is designed for a **specific** purpose.
それぞれの製品は特定の目的のために作られています。

497 stock
[stάk/英 stɔ́k]

名 在庫
! 「株式」という意味もある 同 inventory「在庫」 in stock「在庫がある」 out of stock「在庫がない」 動 stock「仕入れる, 満たす」

This model is currently out of **stock**.
このモデルは現在、在庫が切れています。

498 aware
[əwéər]

形 気が付いている
! aware of ~「~に気付いている」
名 awareness「認識, 自覚」

We are **aware** that our sales network is insufficient.
私たちは販売網が十分でないことを知っています。

499 broad
[brɔːd]

形 大まかな
! 「広い」という意味もある
動 broaden「広げる」(=widen, expand)

He gave us a **broad** outline of the plan.
彼は私たちにその計画の大まかな概要を示した。

500 maximum
[mǽksəməm]

形 最大の
! 反 minimum「最小の」 動 maximize「最大限にする」(反 minimize「最小限にする」)
名 maximum「最大値」(反 minimum「最小値」)

The factory is operating at **maximum** capacity.
その工場は稼働能力限界で操業している。

501 aim
[éim]

動 向ける

「目指す，目的とする」という意味もある (at)
類 target「目標とする」 名 aim「目的，目標」(= purpose, goal, target, objective)

Our campaign is **aimed** at young adults.
当社のキャンペーンはヤングアダルトに向けられている。

502 cooperate
[kouápərèit/⊛-ɔ́pərèit-]

動 協力する

名 cooperation「協力」
形 cooperative「協力的な」

The team members have to **cooperate** with each other.
部員はお互いに協力しなければならない。

503 quantity
[kwántəti/⊛kwɔ́n-]

名 量

動 quantify「数値で表す」
形 quantitative「量的な」
関 quality「質」

We get discounts when we buy materials in large **quantities**.
資材を大量に買うと割引が受けられる。

504 by accident
[æksəd(ə)nt]

偶然に

反 deliberately, intentionally, on purpose「わざと」 名 accident「事故」 形 accidental「偶然の」 副 accidentally「偶然に」

We met at the conference **by accident**.
私たちは会議で偶然に会った。

505 launch
[lɔ:ntʃ]

動 始める

「発売を開始する」という意味も重要
名 launch「開始」

We **launched** an advertising campaign for our new products.
当社は新製品のための広告キャンペーンを開始した。

506 obvious
[ábviəs / 英 ɔ́b-]

形 明らかな
- 副 obviously「明らかに」

It is **obvious** that the company is not doing well.
会社の業績が良くないことは明らかだ。

507 optimistic
[ὰptəmístik / 英 ɔ̀pti-]

形 楽観的な
- 反 pessimistic「悲観的な」
- 名 optimist「楽観的な人」(反 pessimist「悲観的な人」)

I'm **optimistic** about the company's future.
私は会社の将来について楽観的だ。

508 owe
[ou]

動 ～のおかげである
- 「借りがある」という意味もある
- owing to ～「～のおかげで」(= because of, due to, thanks to)

I **owe** my success to my colleagues.
私の成功は同僚のおかげである。

509 vision
[víʒən]

名 考え
- 「視力, 視界, 展望」などの意味もある

The company needs a clear **vision** for the future.
その会社は将来に対する明確な考えが必要である。

510 withdraw
[wiðdrɔ́ː, wiθ-]

動 引き出す
- 過 withdrew 過分 withdrawn「手を引く, 撤退する, 取り消す」という意味もある
- 名 withdrawal「(預金の)引き出し, 撤退, 撤回」

I just **withdrew** three hundred dollars from my account.
私は口座から300ドル下ろしたばかりです。

絶対忘れてはならない頻出の 330

511 deliberately
[dilíb(ə)rətli]

副 わざと
- 同 intentionally, on purpose「わざと」 形 deliberate「故意の」(= intentional) 動 deliberate「熟考する」 名 deliberation「熟考」 after long deliberation「長い熟考のあと」

I **deliberately** misplaced the folder.
私はわざとそのホルダーを違う場所に置いた。

512 dismiss
[dismís]

動 解雇する
- 同 fire「解雇する」 名 dismissal「解雇」

She was unfairly **dismissed** from her post.
彼女は職を不当に解雇された。

513 glance
[glæns/⊕glá:ns]

動 さっと見る
- 後ろに続く前置詞は at 名 glance「さっと見ること」 関 at a glance「一見して」

He's **glancing** at a magazine.
彼は雑誌にさっと目を通している。

514 ingredient
[ingrí:diənt]

名 材料
- 「〜の材料」と言うとき、後ろに続く前置詞は in, of, for が可能

What are the **ingredients** in this salad?
このサラダの材料はなんですか。

515 capable
[kéipəbl]

形 能力がある
- be capable of〜 の形で使われる 名 capability「能力」

Lucy Hill is quite **capable** of learning new skills.
ルーシー・ヒルは新しいスキルを習得する能力がある。

516 conclusion
[kənklúːʒən]

名 結論
❗ reach a conclusion「結論に達する」 **動** conclude「結論を出す, 終える」
形 conclusive「決定的な, 最終的な」
conclusive evidence「決定的な証拠」

We haven't reached a **conclusion** yet.
私たちはまだ結論に達していない。

517 emergency
[imə́ːrdʒənsi]

名 緊急事態
❗ emergency room (略 ER)「(病院の)緊急治療室」 the state of emergency「非常事態」

The **emergency** exit is down the hallway.
非常口は廊下の先です。

518 load
[lóud]

動 積み込む
❗ 関 unload「積荷を降ろす」
名 load「荷物, 積載量, 仕事量」
形 loaded「荷物を積んだ」

They're **loading** the truck with boxes.
彼らはトラックに箱を積み込んでいる。

519 punctual
[pʌ́ŋktʃuəl]

形 時間を守る
❗ **名** punctuality「時間を守ること」
副 punctually「時間通りに」

Please try to be **punctual**.
時間を守るようにしてください。

520 possibility
[pàsəbíləti / pɔ̀s-]

名 可能性
❗「可能性がある事柄」という意味もある **形** possible「可能な」
副 possibly「もしかしたら, 多分」(= maybe, perhaps)(probablyより可能性が低い)

The two banks are discussing the **possibility** of a merger.
その2つの銀行は合併の可能性について話し合っている。

絶対忘れてはならない頻出の

330

521 journal
[dʒɔ́ːrnəl]

名 雑誌
- 専門性の高い雑誌・新聞を指す語
「日記」という意味もある　類 magazine「雑誌」 newspaper「新聞」 periodical「定期刊行物」

Mr. Johnson contributes to this trade **journal**.
ジョンソンさんはこの業界誌に寄稿している。

522 policy
[pɑ́ləsi/⊕pɔ́li-]

名 規則
- 「方針, 政策, (保険の)契約」などの意味もある
insurance policy「保険契約」

We have a strict non-smoking **policy**.
当社には厳格な禁煙の規則があります。

523 appliance
[əpláiəns]

名 電化器具
- appliance store「電器店」

The store carries a wide range of domestic **appliances**.
その店は多様な家電製品を取り扱っている。

524 approach
[əpróutʃ]

動 話を持ちかける
- 「近づく, 取り組む」などの意味もある
名 approach「手法, 申し入れ, 近づくこと」
形 approachable「親しみやすい」

Several companies have **approached** us.
数社が私たちに話を持ちかけてきた。

525 standard
[stǽndərd]

名 基準
- 「規範」という意味もある
通常、standardsとsをつける
形 standard「標準の, 基準となる」

We have high safety **standards**.
当社は高い安全基準を持っています。

526 valid
[vǽlid]

形 有効な
- 「正当な」という意味もある
- 反 invalid「無効な」
- 動 validate「証明する」

You need a **valid** driver's license.
あなたは有効な運転免許証が必要です。

527 eager
[íːgər]

形 強く望んでいる
- 「熱心な」という意味もある
- 副 eagerly「熱心に」

Our chef is **eager** to meet your catering needs.
私たちのシェフはあなたの食事のご要望を満たすことを強く望んでいます。

528 opinion
[əpínjən]

名 意見
- 類 view「意見, 見方」
- in my opinion「私の考えでは」

We would like to know your **opinions** about our service.
私たちは当社のサービスに対するあなたのご意見をお聞きしたいと存じます。

529 belongings
[bilɔ́ːŋiŋz/-lɔ́ŋ-]

名 持ち物
- この意味では常に複数形

She packed her personal **belongings** in a bag.
彼女は私物をかばんに詰めた。

530 assignment
[əsáinmənt]

名 与えられた仕事
- 「(学生に与えられた)課題」という意味もある
- 動 assign「割り当てる」

Marta has to complete the **assignment** by the end of October.
マータはその仕事を10月末までに仕上げなければならない。

絶対忘れてはならない頻出の330

531 innovative
[íno(u)vèitiv]

形 革新的な

- 動 innovate「(新しい技術・考えなどを)取り入れる」
- 名 innovation「革新, 新しく取り入れたもの」
- 名 innovator「革新者」

We develop **innovative** products and services.
当社は革新的な製品とサービスを開発しています。

532 supervise
[súːpərvàiz]

動 監督する

- 同 oversee「監督する」 名 supervision「監督」
- 名 supervisor「監督者」
- 形 supervisory「監督の」

Dr. Hall **supervises** the research team.
ホール博士が研究チームを監督する。

533 credit
[krédit]

動 (功績があると)認める

- 類 attribute「〜のおかげだと考える」
- 名 credit「クレジット, 功績, 履修単位」

He is **credited** with developing popular video games.
彼は人気のビデオゲームを開発した功績を認められている。

534 various
[vé(ə)riəs]

形 さまざまな

- 動 vary「変化する」
- 名 variety「種類, 多様さ」
- 名 variation「変化, 差」

We offer **various** training programs.
当社はさまざまな研修プログラムをご提供しております。

535 analysis
[ənǽləsis]

名 分析

- 複数形は analyses 動 analyze「分析する」
- 名 analyst「評論家, 専門家」
- 形 analytical「分析的な」

I'm doing a cost **analysis** of the project.
私はそのプロジェクトの費用分析をしている。

536 reject
[ridʒékt]

動 却下する
- 「拒否する,不合格にする,受け付けない」などの意味もある　同 turn down, refuse「却下する」
- 名 rejection「拒絶」

The board of directors **rejected** my proposal.
取締役会は私の提案を却下した。

537 on behalf of
[bihǽf/英 -háːf-]

〜を代表して
- 「〜の代わりに」という意味もある

Mr. Robinson made a speech **on behalf of** the association.
ロビンソンさんは協会を代表してスピーチをした。

538 overlook
[òuvərlúk]

動 見逃す
- 「大目にみる,(建物から)見える」などの意味もある

I **overlooked** errors in the report.
私は報告書の間違いを見逃した。

539 seal
[siːl]

動 封をする
- 「密閉する,(建物・エリアなどを)封鎖する」などの意味もある
- 名 seal「封印, 印鑑」

I **sealed** the box with tape.
私はテープで箱に封をした。

540 typical
[típik(ə)l]

形 典型的な
- typical of〜「典型的な〜」
- 副 typically「典型的に, 通常は」

These temperatures are not **typical** for this time of year.
これらの気温はこの時期としては普通ではありません。

第 3 章

知っていると差がつく応用の 330

ターゲットライン　730点

541 code
[koud]

名 規則
- 「法律, 記号, 番号」などの意味もある
  area code「市外局番」
  a code of conduct「行動規範」

The company has a strict dress **code**.
その会社は厳しい服装規則がある。

542 connect
[kənékt]

動 接続する
- 「電話をつなぐ」という意味もある
- 名 connection「接続, 関係, 乗り継ぎ」

You should **connect** the printer to the computer.
プリンターをコンピュータに接続しなくてはなりません。

543 general
[dʒén(ə)rəl]

形 大まかな
- 「一般的な, 全体的な, 普通の」などの意味もある
- 副 generally「一般的に」

This map will give you a **general** overview of the area.
この地図はその地区の大まかな概観を示します。

544 nicely
[náisli]

副 うまく
- 形 nice「よい」

He might say yes if you ask him **nicely**.
もし彼にうまく頼めば、彼は受け入れてくれるかもしれない。

545 orientation
[ɔ̀:rientéiʃən]

名 オリエンテーション
- 「信条, 方針」などの意味もある
- 動 orient「向かわせる, 位置を見定める」

We will hold an **orientation** for new employees next week.
当社では来週、新入社員のオリエンテーションを行います。

546 positive
[pázətiv/⑳pózi-]

形 好意的な

! 「積極的な,肯定的な,陽性の」などの意味もある
反 negative「否定的な,悲観的な,陰性の」
副 positively「肯定的に,確実に」

We received **positive** reviews for our new fax machine.
当社は新しいファックス機に対して好意的な批評を得た。

547 however
[hauévər]

副 どれだけ〜であろうと

! 「しかし」(=but, nevertheless) という意味もある
同 no matter how「たとえ〜でも」

We must handle customer complaints properly, **however** minor they may be.
お客様からの苦情はたとえ小さなものであっても適切に対応しなければならない。

548 whether
[(h)wéðər]

接 〜かどうか

! 「〜であろうとなかろうと」という意味もある

I'll ask him **whether** he can finish it before lunch.
昼休み前に終わるかどうか彼に聞いてみます。

549 calculate
[kǽlkjulèit]

動 計算する

! 名 calculation「計算」
名 calculator「計算器」
形 calculated「計算された」

We **calculated** the cost of construction.
私たちは建設費用を計算した。

550 lean against
[li:n]

動 もたれかかる

! lean overは「身を乗り出す」
類 be leaning against = be propped up against「〜に立てかけられている」

The bicycle is **leaning against** the fence.
自転車がフェンスに立てかけられている。

551 enable
[inéibl]

動 可能にする
- enable 〈人〉to 〈不定詞〉の形で使う
- 形 able to ～「～できる」 名 ability「能力」 en- は動詞を作る接頭辞

The new funds will **enable** us to continue our research.
新しい資金は私たちが調査を続けることを可能にします。

552 despite
[dispáit]

前 ～にもかかわらず
- 同 in spite of ～「～にもかかわらず」

Mike didn't meet the sales target **despite** his efforts.
マイクは努力したにもかかわらずセールス目標を達成できなかった。

553 media
[míːdiə]

名 メディア
- television, radio, newspaper, magazine, Internetを含む
- 関 press「報道機関（主に印刷媒体）」

The event was reported in the **media**.
その行事はメディアで報道された。

554 tax
[tæks]

名 税金
- 動 tax「課税する，負担をかける」
- 名 taxation「課税」

You can get your **taxes** back.
あなたは税金の払い戻しが受けられる。

555 trouble
[trʌ́bl]

名 困難
- 同 problem「困難」
- 動 trouble「面倒をかける，困らせる，わざわざ～する」 形 troublesome「面倒な，厄介な」

I had **trouble** finding a good place to eat.
私は食事をするよい場所を探すのに苦労した。

556 wish
[wíʃ]

動 したい

! wish to ~「~したい」「望む, 願う」という意味もある　名wish「望み, 願い」
wishful thinking「希望的観測, 甘い考え」

I **wish** to speak with the manager.
マネージャーと話がしたいです。

557 draw up
[drɔː]

作成する

! 類make「作る」　write「書く」

He's **drawing up** a plan.
彼は計画を作成している。

558 formally
[fɔ́ːrməli]

副 フォーマルに

! 形formal「フォーマルな, 格式ばった」
反casually「カジュアルな, くつろいだ」

We dressed **formally** for the ceremony.
私たちはそのセレモニーのためにフォーマルな服装をした。

559 empty
[émpti]

形 空いている

! 動empty「空にする」

The filing cabinets are almost **empty**.
書類整理用キャビネットはほとんど空いています。

560 core
[kɔːr]

形 主要な

! 類main「主要な」
名core「(りんごなどの) 芯, 中心」
core curriculum「中核教科課程」

Our **core** business is fresh fruit and vegetables.
当社の主要事業は新鮮な果物と野菜です。

561 crew
[krúː]

名 (共同で作業をする)チーム
- 集団を指す語
- 「(船や飛行機の)乗組員・乗務員」という意味でも使われる

Our repair **crew** will be there in half an hour.
当社の修理スタッフが30分後にはお伺いします。

562 middle
[mídl]

名 中旬
- 「真ん中, 中間」というのが元の意味 mid-という接頭辞をつけて同じ意味を表すことができる
- 例mid-September「9月中旬」形middle「中間の」

A friend of mine will visit me in the **middle** of September.
私の友人が9月中旬に私のところに来ます。

563 on foot
[fut]

徒歩で
- 関by car「車で」 by bus「バスで」 by train「電車で」

It takes about fifteen minutes **on foot**.
徒歩で約15分です。

564 overseas
[òuvərsíːz]

副 海外で
- 同abroad「外国で」
- 形overseas「海外の」

Eddy worked **overseas** before joining this company.
エディーはこの会社に入る前、外国で働いていた。

565 co-worker
[kouwə́ːrkər, kóu-]

名 同僚
- co-は「一緒に」という意味を表す接頭辞 (co-worker=「一緒に働いている人」)
- 同colleague「同僚」

One of my **co-workers** is leaving the company.
私の同僚の一人が会社を辞める。

566 graduate
[grǽdʒuèit]

動 卒業する

! 名 graduate「卒業生」 形 graduate「学士号を受けた」 名 graduation「卒業」 関 commencement《アメリカ英語》「卒業式」

I recently **graduated** from university.
私は最近、大学を卒業した。

567 private
[práivət]

形 内密の

! 「私有の, 民間の, 個人の, 内輪だけの」などの意味もある in private「内密に」 副 privately「内密に, 個人として」 名 privacy「プライバシー」

I had a **private** conversation with my supervisor.
私は上司と密談をした。

568 tip
[típ]

名 ヒント

! 通常、tipsとsを付けて使われる 「先端,(レストラン等で渡す)チップ」などの意味もある 動 tip「チップを渡す」

Here are some **tips** on how to stay healthy.
健康でいるためのヒントを以下に挙げます。

569 agriculture
[ǽgrikÀltʃər]

名 農業

! 形 agricultural「農業の」 関 horticulture「園芸」

About fifty percent of the land is used for **agriculture**.
土地の約50パーセントは農業に使われている。

570 railing
[réiliŋ]

名 手すり

! 「柵, フェンス」を指すこともある パート1で頻出

He's holding onto the **railing**.
彼は手すりにつかまっている。

知っていると差がつく応用の **330**

571. theme
[θíːm]

名 テーマ
- 同 topic, subject「主題」

What is the **theme** of the conference?
その会議のテーマは何ですか。

572. tie
[tái]

名 つながり
- 「ネクタイ、引き分け」という意味もある
- 同 link「つながり」
- 動 tie「結ぶ」

We have strong **ties** with local businesses.
私たちは地元の企業と強いつながりがある。

573. fond
[fάnd / 英 fɔ́nd]

形 好ましい
- be fond of ～「～が好き」

I have **fond** memories of San Francisco.
私はサンフランシスコの良い思い出がある。

574. be supposed to
[səpóuzd]

～することになっている
- supposeは「思う、考える」という意味の動詞

Mr. Brown **was supposed to** arrive an hour ago.
ブラウンさんは1時間前に来ることになっていた。

575. related
[riléitid]

形 関連のある
- related to ～「～に関係がある」 動 relate「関係がある」 動 relating to ～「～に関連のある」 名 relation「関係」 名 relationship「関係」

Applicants must have a degree in business or a **related** field.
応募者は経営学または関連分野での学位を持っていなければなりません。

576. confident
[kánfəd(ə)nt / kɔ́n-]

形 確信している
- 「自信がある」という意味もある
- 名 confidence「自信, 信頼, 秘密」
- 形 confidential「秘密の, 内密の」

I'm **confident** sales will pick up soon.
私は売り上げがもうすぐ回復することを確信しています。

577. I wonder if you

〜していただけませんか
- 人に頼みごとをするときの表現　I was wondering if, I'm wondering if も同じ
- wonder は「不思議に思う, 知りたい」という意味

I wonder if you can help me.
手伝ってもらえませんか。

578. worth
[wə:rθ]

前 〜の価値がある
- worth 〜ing「〜する価値がある」
- 名 worth「価値」　形 worthless「価値のない」
- 形 worthy「尊敬すべき」

The museum is **worth** a visit.
その博物館には行く価値がある。

579. enroll
[inróul, en-]

動 申し込む
- 《イギリス英語》enrol　後ろに続く前置詞は in《アメリカ英語》, on/in《イギリス英語》
- 同 sign up for 〜, apply for 〜「〜に申し込む」　類 register for 〜「〜に登録する」
- 名 enrollment「登録, 入会」

I'd like to **enroll** in the drawing class.
デッサンのクラスに申し込みたいと思います。

580. environment
[inváirənmənt, en-]

名 環境
- 「自然環境」という意味もある
- 形 environmental「環境に関する」
- 名 environmentalist「環境保護論者」

We're trying to improve our work **environment**.
私たちは職場環境を向上させるように努めています。

581 exactly
[igzǽk(t)li]

副 まったく
- 「正確に，ちょうどに」という意味もある
- 同 precisely「まったく」
- 形 exact「正確な」

He told me **exactly** the same thing.
彼は私にまったく同じことを言いました。

582 ideal
[aidíːəl]

形 理想的な
- 類 perfect「完璧な」
- 名 ideal「理想」 副 ideally「理想的に」

The island is an **ideal** place for a family vacation.
その島は家族旅行に理想的な場所です。

583 precisely
[prisáisli]

副 ちょうどに
- 「正確に，まったく」という意味もある
- 同 exactly, sharp「ちょうどに」
- 形 precise「正確な」 名 precision「正確さ」

I arrived here at **precisely** six o'clock.
私はここに6時ちょうどに着いた。

584 suddenly
[sʌ́dnli]

副 突然に
- 形 sudden「突然の」

The finance minister **suddenly** resigned.
財務大臣は突然、辞任した。

585 capacity
[kəpǽsəti]

名 定員
- 「能力，任務，最大生産量」などの意味もある
- filled to capacity「定員いっぱい，満席」という意味

The hall was filled to **capacity**.
ホールは定員いっぱいだった。

586 admission
[ədmíʃən]

名 入場料

! 「入ること, 入場許可, 入学許可, 告白」という意味もある 動 admit「認める, 入場を許可する」 名 admission fee「入場料」

Admission is free for members.
会員は入場無料です。

587 advantage
[ədvǽntidʒ/⦿-vάːn-]

名 利点 ! 「有利な点, 優位性, 長所」などの意味もある take advantage of 〜「〜を利用する」 反 disadvantage「不利な点, 短所」 形 advantageous「有利な」

What are the **advantages** of this system?
このシステムの利点は何ですか。

588 anniversary
[æ̀nəvə́ːrs(ə)ri]

名 記念日

! the twentieth anniversary「20周年記念」

Tomorrow is our wedding **anniversary**.
明日は私たちの結婚記念日です。

589 candidate
[kǽndədèit, -dət]

名 候補者

! 職の話をしているときはapplicant「応募者」とほぼ同じ意味になる

There are five **candidates** for the position.
その職には5人の候補者がいます。

590 career
[kəríər]

名 職業

! 「職歴」という意味もある

I was interested in a **career** in journalism.
私は報道関係の職業に興味があった。

591 imagine
[imædʒin]

動 想像する

! **名** imagination「想像, 想像力」
形 imaginative「想像力のある」

The garden was more beautiful than I had **imagined**.
その庭園は私が想像していたより美しかった。

592 perfect
[pə́ːrfikt]

形 最適な

! 「完璧な, 最高の」などの意味もある
類 ideal「理想的な」 **副** perfectly「完璧に」
動 perfect「完全にする」 **名** perfection「完璧」

Kate is the **perfect** candidate for the job.
ケイトはその仕事に最適な候補者です。

593 potential
[pəténʃəl]

形 潜在的な

! 「可能性がある」という意味もある 形容詞として使われるときは, 常に名詞の前に来る
名 potential「可能性」 **副** potentially「潜在的に」

How can we reach our **potential** customers more effectively?
私たちはどうやったらもっと効果的に潜在的な顧客に知ってもらうことができるでしょうか。

594 separate
[**形** sép(ə)rət] [**動** sépərèit]

形 別の

! 「関係のない」という意味もある
同 different「別の」 **動** separate「分ける」
副 separately「別々に」

We'll send your order in two **separate** shipments.
ご注文の品はふたつの別の便でお送りします。

595 apart from
[əpáːrt]

～以外に

! 「～に加えて」(= besides, in addition to) という意味もある
同 except for～「～以外に」

Apart from baseball, what sports do you like?
野球以外にスポーツは何が好きですか。

596 mechanical
[məkǽnik(ə)l]

形 機械的な

! **名** machine (可算名詞)「機械」
名 machinery (不可算名詞)「機械」
副 mechanically「機械的に」

The flight was canceled due to **mechanical** failure.
機械的な故障により、その便は運行が中止された。

597 rest
[rést]

名 残り

! 「休息, 休止」という意味もある
同 remainder「残り」
動 rest「休む, もたれかかる」

There's not much work for the **rest** of the day.
今日、これから残りの時間はあまり仕事がない。

598 unique
[juːníːk]

形 珍しい

! 「独特の, 唯一の」などの意味もある

The gift shop carries **unique** jewelry made of seashells.
そのギフトショップでは貝殻でできた珍しいジュエリーを販売している。

599 disappointed
[dìsəpɔ́intid]

形 がっかりした

! **動** disappoint「がっかりさせる」
形 disappointing「がっかりさせるような」
名 disappointment「失望」

We are **disappointed** with the results.
私たちはその結果にがっかりした。

600 modest
[mádist / 英 mɔ́dist]

形 多くない

! 「謙虚な, 控えめな」などの意味もある
名 modesty「謙遜」

I've saved a **modest** amount of money.
私は小額のお金を貯めた。

601 ahead
[əhéd]

副 先に

- ahead of ~「~より先に, ~より前に」
  go ahead「どうぞしてください」

We are two weeks **ahead** of schedule.
私たちは予定より2週間先に進んでいる。

602 fail
[féil]

動 失敗する

- 「~しない, (試験に)落ちる」などの意味もある
  名 failure「失敗, 故障」

We **failed** to win the contract.
私たちはその契約を取ることに失敗した。

603 install
[instɔ́:l]

動 設置する

- 「(ソフトウェアを)インストールする」という意味もある
  関 installment「分割払い」

We've **installed** a new security system.
私たちは新しい警備システムを設置した。

604 memorandum
[mèmərǽndəm]

名 社内通達

- 短縮形は memo「契約の概要, (非公式な)覚え書き」の意味もある

Mr. Kim sent out a **memorandum** to all employees.
キムさんは全従業員に通達を出した。

605 similar
[símələr]

形 似た

- 副 similarly「同じように」
  名 similarity「類似点」

His suitcase is **similar** to mine.
彼のスーツケースは私のに似ている。

606 content
[kántent/ⓧkɔ́n-]

名 中身
- 「内容, 含有物」などの意味もある
  table of contents「目次」

What are the **contents** of the package?
その小包の中身は何ですか。

607 guideline
[gáidlàin]

名 指針
- 普通, 複数形のguidelinesの形で使われる

We have to follow the safety **guidelines**.
私たちは安全指針に従わなければならない。

608 neighborhood
[néibərhùd]

名 地域
- 「近郊, 近所」という意味もある
  名 neighbor「隣・近所の人」
  形 neighboring「隣接した」

I live in a quiet **neighborhood** of Melbourne.
私はメルボルンの静かな地域に住んでいます。

609 patience
[péiʃəns]

名 我慢
- lose patience「我慢できなくなる」
  形 patient「我慢強い」
  名 patient「患者」

Our customers are losing **patience** with the slow service.
私たちの顧客は遅いサービスに対して我慢の限界にきている。

610 tight
[táit]

形 (時間・金銭の)余裕のない
- 「きつい, 厳しい, 固い」などの意味もある
  副 tightly「きつく, しっかりと」
  動 tighten「引き締める」

I have a **tight** schedule today.
今日、私は余裕のないスケジュールだ。

知っていると差がつく応用の 330

611 impressed
[imprést]

形 感銘を受ける

! 動 impress「感銘を与える, 印象づける」
形 impressive「感動的な」
名 impression「印象」

I was very **impressed** by his presentation.
私は彼のプレゼンテーションにとても感銘を受けた。

612 edge
[édʒ]

名 端

! 「刃, 尾根, 有利な点」などの意味もある
cutting edge「(発達段階の)最先端」 動 edge「少しずつ進む, 縁取る」 形 edgy「不安な, 先端的な」

He's sitting on the **edge** of the bed.
彼はベッドの端に座っている。

613 certain
[sə́ːrtn]

形 確かな

! 「ある特定の」(=particular)という意味もある
同 sure「確かな」
副 certainly「もちろん, 確かに」

I'm not **certain** when he will come.
彼がいつ来るか私は確かではありません。

614 complaint
[kəmpléint]

名 苦情

! make a complaint「苦情を言う」
動 complain「苦情を言う, クレームをつける」
注意 英語のclaimは「主張する」という意味

I have to deal with customer **complaints**.
私は顧客からの苦情に対処しなければならない。

615 concerned
[kənsə́ːrnd]

形 心配する

! 後ろに続く前置詞はabout
同 worried「心配している」 名 concern「心配, 関心ごと」 動 concern「〜に関係がある」

I'm **concerned** about the cost.
私は費用を心配しています。

616 except
[iksépt]

前 ～を除き ❗ except for も同じ意味
名 exception「例外」 **形** exceptional「例外的な, 非常に優れた」(=outstanding)
副 exceptionally「例外的に, 格別に」

The museum is open daily **except** Mondays.
当博物館は月曜日を除き毎日開館しております。

617 fuel
[fjúːəl]

名 燃料
❗ **類** energy「エネルギー源」
動 fuel「燃料を供給する, 増幅させる」

The cost of **fuel** is increasing.
燃料費は値上がりしている。

618 grant
[grǽnt/⊛ gráːnt]

名 助成金
❗ **動** grant「許可する, 与える」
take ～ for granted「～を当然のことと見なす」

I have applied for a research **grant**.
私は研究助成金に応募した。

619 hesitate
[hézətèit]

動 遠慮する ❗「ためらう」という意味もある
don't hesitate to ～「遠慮なく～してください」
(=feel free to ～) という意味 **名** hesitation
「ためらい」 **形** hesitant「ためらっている」

If you have any questions, don't **hesitate** to ask me.
もし質問がありましたら、どうぞご遠慮なく。

620 initial
[iníʃəl]

形 初めの
❗ **副** initially「初めに」
動 initiate「始める」

I made an **initial** payment of two hundred dollars.
私は頭金の200ドルを払った。

知っていると差がつく応用の

330

621 occasionally
[əkéiʒənəli, -ʒnəli]

副 たまに
- 形 occasional「たまに起こる, 時折の」
- 名 occasion「(出来事がある)時, 行事, 機会, 理由」

We **occasionally** go for a drink after work.
私たちは仕事のあと、たまに飲みに行く。

622 round
[ráund]

名 一連のもの
- 「段階, ラウンド, 回」などの意味もある
- 形 round「円形の」
- 副 round (=around)「〜の周りを, 〜を回って」

We will conduct another **round** of interviews next week.
私たちは来週、もう一回り面接を行います。

623 shape
[ʃéip]

名 状態
- 「形」という意味もある
- out of shape「状態が悪い」
- 動 shape「形作る, 方向づける」

My car is still in good **shape**.
私の車はまだ状態が良い。

624 visual
[víʒuəl]

形 視覚的な
- 副 visually「視覚的に」
- 動 visualize「思い浮かべる」
- 名 visualization「視覚化」

Maria uses a lot of **visual** aids in her class.
マリアは授業で視覚教材をたくさん使う。

625 demand
[dimǽnd/(英)-má:nd-]

名 需要
- 「要求」という意味もある
- 動 demand「要求する」
- 形 demanding「要求の厳しい, きつい」

There's a strong **demand** for new housing.
新築住宅に対する大きな需要がある。

626 gather
[gǽðər]

動 集まる
! 「集める」(=collect) という意味もある
名 gathering「会合, 収集」

A crowd **gathered** outside the court.
群衆が裁判所の外に集まった。

627 coupon
[kúːpɑn, kjúː-/kúːpɔn]

名 クーポン券
! 「注文書, 申込書」を表すこともある
同 voucher「割引券」

You can get ten percent off with this **coupon**.
このクーポン券で10パーセントの割引を受けることができます。

628 cross
[krɔ́ːs]

動 渡る
! 名 crossing「交差点」

They're **crossing** the street.
彼らは通りを渡っている。

629 medicine
[médəsn]

名 薬
! 「医学, 医療」という意味もある　同 medication「薬」　関 drug「薬, 麻薬」pill「錠剤, 避妊薬」tablet「錠剤」　形 medical「医療の」

Take this **medicine** after meals.
この薬を食事の後に飲んでください。

630 predict
[pridíkt]

動 予測する　! 「予言する」という意味もある
同 forecast「予測する」　類 expect, anticipate「予想する」　名 prediction「予測, 予言」
形 predictable「予測可能な, ありきたりな」

It's difficult to **predict** when the economy will recover.
経済がいつ回復するか予測するのは難しい。

631 rank
[rǽŋk]

動 ランク付けされる
! 名 rank「地位, 列, 構成員」

Japan **ranks** among the safest countries in the world.
日本は世界で一番安全な国のうちに入る。

632 regret
[rigrét]

動 残念に思う
! 「後悔する」という意味もある
名 regret「後悔」

We **regret** to inform you that the concert has been canceled.
残念ながらコンサートが中止になったことをお知らせします。

633 decorate
[dékərèit]

動 飾る
! 名 decoration「飾り付け」 名 decorator「装飾する人」 形 decorative「装飾的な」
名 décor「室内装飾」

They're **decorating** a room.
彼らは部屋を飾っている。

634 agency
[éidʒənsi]

名 代理店
! 名 agent「代理人, エージェント」

She works at a travel **agency**.
彼女は旅行代理店で働いている。

635 apologize
[əpálədʒàiz]

動 謝る
! 謝罪の理由は前置詞 for によって導く
謝罪の相手は前置詞 to によって導く
名 apology「謝罪」

We **apologize** for the delay.
遅れに対してお詫び申し上げます。

636 approximately
[əpráksəmətli]

副 約 ≒ almost, nearly
- 同 about「約」 形 approximate「おおよその」
- 動 approximate「〜に近い」
- 名 approximation「近似, 概算値」

Traveling downtown takes **approximately** twenty minutes.
中心街へ行くには約20分かかります。

637 architect
[ά:rkətèkt]

名 建築士
- 名 architecture「建築」

The **architect** is drawing up plans for the building.
建築士はビルの設計図を描いている。

638 besides
[bisáidz]

前 〜に加えて
- 副詞にもなる
- 同 in addition to, apart from「〜に加えて」
- 注意 beside は「〜の近くに」という意味

Besides teaching English, she writes novels in her spare time.
英語を教えることに加え、彼女は暇な時間に小説を書いている。

639 complimentary
[kὰmpləmént(ə)ri]

形 無料の
- 「称賛の」という意味もある 同 free「無料の」
- 名 compliment「賛辞, 敬意」
- 動 compliment「ほめる, 賛辞を述べる」

They sent us **complimentary** tickets for the concert.
彼らは私たちにそのコンサートの招待券を送ってくれた。

640 congratulations
[kəngrætʃuléiʃənz, 英 -tju-]

おめでとう
- 名 congratulation「祝うこと, 祝いの言葉」
- 動 congratulate「祝う」

Congratulations on your promotion!
昇進おめでとう。

641 crowded
[kráudid]

形 混み合っている
- 後ろに続く前置詞は with
- 名 crowd「人混み, 群衆」
- 動 crowd「押し寄せる, 群がる」

The restaurant is **crowded** with customers.
そのレストランは客で混み合っている。

642 depend
[dipénd]

動 〜による
- 「〜に頼る」(=rely on) という意味もある
- 形 dependent on 〜「〜に頼っている」
- 形 dependable「頼りになる」(=reliable)

Shipping costs vary, **depending** on your location.
あなたの住んでいる場所によって配送料は変わります。

643 even though
[ðou]

〜だけれども
- 同 although, though「〜だけれども」

Even though sales have been improving, we are still in debt.
売り上げは回復に向かっていますが、当社はまだ赤字です。

644 paperwork
[péipərwə̀ːrk]

名 書類仕事
- 「事務手続き」という意味もある

I have a lot of **paperwork** to do.
私はたくさんの書類仕事がある。

645 phase
[feiz]

名 段階
- in phases「段階に分けて」

The first **phase** of renovations will begin in February.
改装工事の第一段階は2月に始まります。

646 praise
[preiz]

動 ほめる

- 名 praise「称賛」
- 形 praiseworthy「称賛に値する」

The president **praised** the marketing team for its excellent results.
社長は素晴らしい業績に対して営業チームをほめた。

647 reliable
[riláiəbl]

形 信頼できる

- 同 dependable「信頼できる」
- 動 rely on ~「~に頼る」

Wendy is a **reliable** secretary.
ウェンディーは信頼できる秘書だ。

648 weigh
[wei]

動 重さを量る

- 「重さがある」という意味もある　名 weight「重さ」
- 動 outweigh「~より重要である」
- 形 overweight「重量超過の」

She's **weighing** some tomatoes on the scale.
彼女ははかりでトマトの重さを量っている。

649 artificial
[à:rtəfíʃəl]

形 人工的な

- 副 artificially「人工的に」
- 同 man-made「人工の」

Our fruit juices contain no **artificial** colors or flavors.
当社のフルーツ・ジュースには人工的な着色料や香料は含まれていません。

650 customs
[kʌ́stəmz]

名 税関

- 関 immigration「入国管理」
- 名 custom「習慣」

It took a long time to go through **customs**.
税関を通るのに時間が長くかかった。

知っていると差がつく応用の 330

651 defect
[díːfekt, difékt]

名 欠陥
- 同 flaw「欠陥」
- 形 defective「欠陥のある」

We check all items for **defects** before shipping.
私たちはすべての製品を出荷前に欠陥がないか確認しています。

652 equal
[íːkwəl]

形 等しい
- 「対等の，平等の，匹敵する」などの意味もある
- 動 equal「〜に等しい」 名 equal「同等の人」
- 副 equally「等しく，平等に」 名 equality「平等」

The two companies are roughly **equal** in size.
そのふたつの会社は規模がほぼ等しい。

653 forecast
[fɔ́ːrkæst/英 -kɑ́ːst-]

動 予測する
- 過 過分 は forecast または forecasted 同 predict「予測する」 類 expect, anticipate「予想する」
- 名 forecast「予測」 weather forecast「天気予報」

The company **forecasts** continued growth next year.
その会社は来年、継続的な成長を予測している。

654 link
[líŋk]

名 つながり
- 「関係，関連性」という意味もある
- 同 tie「つながり」
- 動 link「つなげる」(＝connect)

We have established trade **links** with Europe.
私たちはヨーロッパと貿易上のつながりを得た。

655 match
[mǽtʃ]

動 合う
- 「(見た目が)合う，合わせる，同じになる」などの意味もある 同 suit「合う」 名 match「一致，合う物・人，競争相手，スポーツの試合」

We don't have a property that **matches** your needs.
私たちにはあなたのニーズに合う不動産物件がありません。

656 observe
[əbzə́ːrv]

動 見学する

!「観察する、(規則などを)守る、(祭日を)祝う」などの意味もある　名 observer「見学者」　名 observation「見学」　名 observatory「天文台」

I'd love to **observe** one of your workshops.
私は是非あなたのワークショップを見学したいです。

657 outstanding
[àutstǽndiŋ]

形 未払いの

!「きわめて優れた」という意味もある
outstanding achievement「偉業」

You must pay the **outstanding** debt immediately.
あなたはその未払いの借金をすぐに支払わなければならない。

658 amazing
[əméiziŋ]

形 驚くべき

!「素晴らしい」というニュアンスを含む
動 amaze「驚かせる」　形 amazed「驚いた」
副 amazingly「驚くほど」　名 amazement「驚き」

Jamaica is an **amazing** country.
ジャマイカは驚くべき国だ。

659 challenging
[tʃǽlindʒiŋ]

形 難しい

!「困難だがやりがいがある」という意味
類 difficult「難しい」 hard「難しい」
demanding「きつい」

My new job is quite **challenging**.
私の新しい仕事はかなり大変だ。

660 comfortable
[kʌ́mf(ər)təbl]

形 快適な

!　副 comfortably「快適に」
名 comfort「快適さ」
動 comfort「慰める」

The room was warm and **comfortable**.
その部屋は暖かくて快適だった。

知っていると差がつく応用の **330**

661 crop
[krɑp/krɔp]

名 作物
- 「収穫量」という意味もある
- 関 harvest「収穫」 yield「生産量」
- 動 crop「刈り込む」

The wheat **crop** in this region is in good condition.
この地域の小麦の作柄は良好な状態である。

662 lease
[liːs]

名 賃貸契約
- 関 rent「賃貸料」
- 動 lease「賃貸する,賃借する」

Lisa has already renewed her **lease**.
リサは既に賃貸契約を更新した。

663 vote
[vóut]

動 投票する　「可決する」という意味もある
vote against ~「~に反対票を投じる」
vote for ~「~に賛成票を投じる」
vote on ~「~について投票を行う」
名 vote「投票」 名 voter「有権者」

Mr. Otis **voted** against the proposal.
オーティスさんはその提案に反対票を投じた。

664 warehouse
[wɛ́ərhàus]

名 倉庫
- 同 storehouse「倉庫」
- 類 storeroom「保管室」

Could you move these boxes to the **warehouse**?
それらの箱を倉庫に運んでもらえますか。

665 huge
[hjúːdʒ]

形 とても大きな
- 同 enormous「とても大きな」
- 副 hugely「とても」(=very, extremely, highly)

Our advertising campaign was a **huge** success.
私たちの広告キャンペーンは大成功だった。

666 visible
[vízəbl]

形 見える
- 「目立つ」という意味もある
- 副 visibly「目に見えるほど, 明白に」
- 名 vision「視覚, 視力」

The tower is **visible** from miles away.
その塔は何マイルも離れたところからも見える。

667 bulk
[bʌlk]

名 大部分
- 「体積, 多量」などの意味もある
- in bulk「大量に, まとめて」

The **bulk** of our clients are small businesses.
当社の顧客の大部分は中小企業です。

668 journey
[dʒə́ːrni]

名 旅
- 同 travel, trip, tour「旅」 類 voyage「船旅」
- 動 journey「旅する」(=travel)

We had a long train **journey** to Venice.
私たちはベニスまで長い鉄道の旅をした。

669 stuck
[stʌk]

形 動きが取れない
- 「行き詰まった」という意味もある

I'm **stuck** in traffic right now.
私は今、交通渋滞に巻き込まれて動けません。

670 legal
[líːg(ə)l]

形 法律に関する
- 「合法の」という意味もある
- 反 illegal, unlawful「違法の」 名 law「法律」
- 副 legally「法律的に」 動 legalize「合法化する」

Ms. Cooper is a **legal** adviser to our company.
クーパーさんは当社の法律顧問です。

671 sculpture
[skʌ́lptʃər]

名 彫刻　関 painting「絵画」 photography, photograph, photo「写真」 picture「絵, 写真」 drawing「デッサン」 illustration「イラスト」 portrait「肖像画」

She's making a **sculpture**.
彼女は彫刻を彫っています。

672 volunteer
[vɑ̀ləntíər/英 vɔ̀lən-]

動 自ら進んでする
名 volunteer「ボランティア, 志願者」

I **volunteered** to work on Saturday.
私は自ら進んで土曜出勤をした。

673 prop
[prɑp/prɔp]

動 立てかける
propped up against = leaning against「立てかけられている」

They **propped** a ladder against a tree.
彼らははしごを木に立てかけた。

674 appreciate
[əpríːʃièit]

動 感謝する
「理解する, 評価する, 価値が上がる」という意味もある　**名** appreciation「感謝, 鑑賞, 認識」　**形** appreciative「感謝している, 真価がわかる」

I **appreciate** your help.
手伝ってくださりありがとうございます。

675 recognize
[rékəgnàiz]

動 誰だか分かる
「認める, 受け入れる, 褒め称える」などの意味もある　**名** recognition「認識, 承認, 褒賞」　**形** recognizable「認識することができる」

Tony was there but I didn't **recognize** him at first.
トニーはそこにいたが私は初め誰だか分からなかった。

676 consistent
[kənsíst(ə)nt]

形 一貫性のある

! 「矛盾のない, 着実な」という意味もある
副 consistently「一貫して, 着実に」
名 consistency「一貫性」

We need a **consistent** marketing strategy.
私たちは一貫性のある販売戦略が必要です。

677 alternative
[ɔːltə́rnətiv]

形 代わりとなる

! 「従来のものとは異なる」という意味 名 alternative「代替物, 選択肢」
副 alternatively「代わりに, または」 形 alternate「別の, 交互の」 動 alternate「交互に行う」

Do you have any **alternative** suggestions?
何か他の提案はありますか。

678 automated
[ɔ́ːtəmèitid]

形 自動化された

! 動 automate「自動化する」 形 automatic「自動の」 automatic withdrawal「自動引き落とし」 副 automatically「自動で」 auto- は「自動」という意味の接頭辞

Our factory is fully **automated**.
当社の工場は完全に自動化されています。

679 broadcast
[brɔ́ːdkæst/ 英 -kɑːst-]

動 放送する

! 過 過分 は同形のbroadcastまたは-edが付いたbroadcasted 名 broadcast「放送番組」
名 broadcaster「放送番組出演者, 放送局」

The show will be **broadcast** tomorrow.
その番組は明日放送されます。

680 combine
[kəmbáin]

動 兼ね備える

! 「組み合わせる, 混ぜ合わせる, 協力する」などの意味もある
名 combination「組み合わせ」

Our hotel **combines** comfort with convenience.
当ホテルは快適さと利便性を兼ね備えています。

681 consist of
[kənsíst]

〜で構成されている

! 同 be composed of〜「〜で構成されている」

The management committee **consists of** six members.
経営委員会は6人のメンバーで構成されている。

682 critical
[krítik(ə)l]

形 とても重要な

! 「批判的な,危機的な」という意味もある 同 crucial「重要な」 動 criticize「批判する」 名 critic「評論家」 副 critically「批判的に,非常に」

His decision is **critical** to the company's future.
彼の決定は会社の将来にとってとても重要だ。

683 definitely
[défənitli]

副 必ず

! 「確実に」という意味もある 同 certainly「必ず」 形 definite「確かな」 動 define「定義する,明確にする」 形 definitive「最も信頼できる,決定的な」

I'll **definitely** meet you at the airport.
私は必ず空港であなたに会うようにします。

684 finding
[fáindiŋ]

名 調査結果

! 通常,複数形で使われる

The researcher published her **findings** in a journal.
その研究者は研究結果を学会誌に発表した。

685 intend
[inténd]

動 〜しようとする

! 形 intended「意図された,目的とする」 名 intention「意図」 形 intentional「意図的な」 副 intentionally「意図的に」

The firm **intends** to reduce its workforce by twenty percent.
その会社は従業員数を20パーセント削減しようとしている。

686 protective
[prətéktiv]

形 保護用の

- **動** protect「保護する」
- **形** protected「保護されている」
- **名** protection「保護」

You must wear **protective** clothing in this area.
この区域では防護服を着用しなければなりません。

687 refer
[rifə́:r]

動 参照する

- 前置詞toとセットで覚えるようにしよう
- **名** reference「参照, 参考文献, 言及, 推薦状, 照会先」

Please **refer** to the manual for more information.
詳細はマニュアルをご参照ください。

688 remove
[rimú:v]

動 取り除く

- 「解任する」という意味もある
- **名** removal「除去, 解任, 移動」

Your e-mail address will be **removed** from our mailing list.
あなたのメールアドレスは当社のメーリングリストから削除されます。

689 residential
[rèzədénʃəl]

形 居住の

- **名** resident「住民」
- **動** reside「住む」

We bought a house in a quiet **residential** area.
私たちは静かな住宅地に家を買った。

690 summarize
[sʌ́məràiz]

動 要約する

- **同** sum up「要約する」(wrap up)
- **名** summary「要約, まとめ」

He **summarized** the main points of the discussion.
彼は討論の主なポイントを要約した。

691 thorough
[θə́:ro(u)]

形 徹底的な
! 「きちょうめんな, 完全な」という意味もある
副 thoroughly「徹底的に」

We conducted a **thorough** investigation into the issue.
私たちはその件について徹底的な調査を行った。

692 examine
[igzǽmin]

動 細かく調べる
! 「研究する, 検査する」という意味もある 類 check「確認する」 inspect「検査する, 調べる」 go over「詳しく確認する」
名 examination, exam「試験」(≒ test)

She's **examining** a document.
彼女は書類をじっくり見ている。

693 contemporary
[kəntémpərèri/輸-p(ə)rəri-]

形 現代的な
! 「同時代の」という意味もある
同 modern「現代の」
名 contemporary「同時期の人」

We sell **contemporary** furniture.
当店では現代家具を販売しています。

694 otherwise
[ʌ́ðərwàiz]

副 そうでなければ
! 「それとは違うように, それ以外は」などの意味もある unless otherwise indicated/specified/stated「別の注意書きがない限り」

Hurry up, **otherwise** you'll miss your train.
急いで、そうしないと電車に遅れるよ。

695 experiment
[ikspérəmənt]

名 実験
! 動 experiment「試す, 実験する」
形 experimental「実験の, 実験的な」
副 experimentally「実験的に」

Our engineers are conducting a series of **experiments**.
当社の技術者は一連の実験を行っています。

696 interval
[íntərv(ə)l]

名 間隔

! at ~ intervals「~間隔で, ~おきに」
at regular intervals「定期的に」

The trains run at ten-minute **intervals**.
電車は10分間隔で運行しています。

697 proportion
[prəpɔ́ːrʃən]

名 割合

! 同 ratio「割合」

A high **proportion** of the applicants were female.
応募者は高い割合で女性だった。

698 recruit
[rikrúːt]

動 採用する

! 関 hire, employ「雇う」
名 recruitment「採用」

We **recruited** a new designer in June.
当社は6月に新しいデザイナーを採用した。

699 accurate
[ǽkjurit]

形 正確な

! 同 correct「正確な」 反 inaccurate「不正確な」
副 accurately「正確に」 **名** accuracy「正確さ」

Could you check if these figures are **accurate**?
これらの数値が正確かどうか調べてもらえますか。

700 difficulty
[dífəkʌlti]

名 困難

! have difficulty ~ing「~するのに苦労する」
（difficultyの後ろにinが来ることもある）
形 difficult「難しい」

We had **difficulty** finding a new manager.
私たちは新しいマネージャーを見つけるのに苦労した。

知っていると差がつく応用の **330**

701 eligible
[élidʒəbl]

形 資格のある
- eligible to ⟨不定詞⟩「〜する資格がある」
- 名 eligibility「適格性」

Members are **eligible** for discounts on tickets.
会員はチケットの割引を受ける資格があります。

702 found
[fáund]

動 設立する
- 同 establish「設立する」
- 名 foundation「基礎, 基金, 設立」
- 名 founder「創業者」

I **founded** a consulting firm with a business partner.
私は共同でコンサルタント会社を設立した。

703 involve
[inválv/(英)-vɔ́lv-]

動 求められる
- 「含む, 関係している」などの意味もある
- 形 involved「関係する, 従事する」(後ろに続く前置詞は in または at) 名 involvement「関与」

This position **involves** working weekends and evenings.
この職は週末と夕刻に働くことが求められています。

704 notify
[nóutəfài]

動 知らせる
- 同 inform「知らせる」
- 名 notification「通知」

You will be **notified** of any changes to the schedule.
スケジュールに変更があった場合、お知らせします。

705 postpone
[pous(t)póun]

動 延期する
- 同 put off「延期する」

The meeting was **postponed** until next week.
ミーティングは来週まで延期された。

706 proceed
[prəsíːd]

動 進む
- 「続ける,(次の作業を)始める」という意味もある
- 名 proceeds「収益金」
- 名 proceeding「行事, 訴訟, 議事録」

Passengers for Paris should **proceed** to Gate 12.
パリへ向かうお客様は12番ゲートへお進みください。

707 significant
[signífəkənt]

形 大きな
- 副 significantly「著しく」(=substantially, considerably) 動 signify「表す」
- 名 significance「重要性, 意味」

The survey shows a **significant** improvement in customer satisfaction.
調査結果は顧客満足度の著しい改善を示しています。

708 warranty
[wɔ́ːrənti/wɔ́r-]

名 保証
- 同 guarantee「保証」
- under warranty「保証期間中」

My TV was under **warranty** so the repair was free.
私のテレビは保証期間中だったので、修理は無料だった。

709 assure
[əʃúər]

動 断言する
- 「保証する, 確実にする」などの意味もある
- 名 assurance「確約, 確信」 形 assured「確かな, 自信を持った」 副 assuredly「確実に, 自信を持って」

I **assure** you that we will deliver your order by Friday.
金曜日までに注文の品をお届けすることをお約束します。

710 athlete
[ǽθliːt]

名 スポーツ選手
- 形 athletic「スポーツの, 身体的に優れた」
- 関 athletic meeting「競技会」

She became a professional **athlete** at the age of sixteen.
彼女は16歳でプロのスポーツ選手になった。

711 double
[dʌ́bl]

動 倍になる

! 関 triple「3倍になる」halve「半分になる」
形 double「倍の」
名 double「2倍, ダブルルーム」

Our profits have **doubled** this year.
当社の利益は今年、倍になった。

712 generous
[dʒén(ə)rəs]

形 手厚い

! 「気前のよい」という意味もある
副 generously「気前よく」
名 generosity「気前のよさ」

The company offers a **generous** benefits package.
その会社は手厚い手当を支給する。

713 monitor
[mάnətər/㊧ mɔ́n-]

動 観察する

! 「監視する, 測定する」などの意味もある
名 monitor「モニター, 測定器, 監視要員」
名 monitoring「監視, 観察」

Your supervisor will **monitor** your progress.
あなたの上司が進歩状況を観察します。

714 balance
[bǽləns]

名 残金

! 「平衡, 釣り合い, 残り, 残高」などの意味もある
動 balance「バランスを取る, 平衡を保つ」

The **balance** must be paid within thirty days.
残金は30日以内に支払われなければならない。

715 exclusive
[ɪksklúːsɪv]

形 高級な

! 「排他的な, 独占する, 唯一の」などの意味もある
動 exclude「除く」
副 exclusively「〜だけに, 独占的に」

We stayed at an **exclusive** hotel.
私たちは高級ホテルに泊まった。

716 situation
[sìtʃuéiʃən]

名 状況
- 同 circumstances「状況」
- 動 situate「置く, 位置づける」
- 形 situated「位置する」(= located)

The company's financial **situation** is improving.
その会社の財政状況は改善されてきている。

717 whereas
[wɛ(ə)ræz]

接 ～であるのに対して
- 対比を表すのに使う

Larry came late, **whereas** the others arrived on time.
他の人は時間通りに到着したのに、ラリーは遅れてきた。

718 reimburse
[rìːimbə́ːrs]

動 払い戻す
- 同 refund「払い戻す」
- 名 reimbursement「払い戻し」

The company will **reimburse** you for moving expenses.
会社はあなたに引越し費用を払い戻します。

719 strict
[stríkt]

形 厳しい
- 類 stringent「(規則などが)厳しい」
- 副 strictly「厳しく」
- strictly speaking「厳密に言うと」

Our manager is very **strict** about punctuality.
私たちの部長は時間を守ることに関してとても厳しい。

720 appeal
[əpíːl]

動 好まれる
- 後ろに続く前置詞は to
- 「訴えかける, 上告する, 抗議する」などの意味もある
- 名 appeal「魅力, 懇願, 上告」

The magazine **appeals** to women of all ages.
この雑誌はすべての年齢層の女性に好まれています。

721 bound
[baund]

形 〜行きの
- be bound to 〜「〜しそうである，〜する義務がある」
- 名 boundary「境界線」

I caught a train **bound** for Manchester.
私はマンチェスター行きの電車に乗った。

722 essential
[isénʃəl]

形 きわめて重要な
- 名 essence「本質」
- 副 essentially「本質的に」

Good teamwork is **essential** for the success of our project.
良いチームワークが私たちのプロジェクトの成功に不可欠です。

723 fluent
[flúːənt]

形 流暢な
- 副 fluently「流暢に」
- 名 fluency「流暢さ」

Linda is **fluent** in Spanish.
リンダはスペイン語が流暢だ。

724 negotiation
[nigòuʃiéiʃən]

名 交渉
- under negotiation「交渉中」
- open to negotiation「交渉の余地がある」
- 動 negotiate「交渉する」 形 negotiable「交渉できる」 名 negotiator「交渉者」

The deal is still under **negotiation**.
その契約はまだ交渉中です。

725 occur
[əkə́ːr]

動 起こる
- 同 happen「起こる」
- 名 occurrence「出来事」

An accident **occurred** this morning.
今朝、事故が起こった。

726 workforce
[wə́:rkfɔ:rs]

名 労働人口
- ❗ 「従業員」(=staff, employee)という意味もある
- 同 labor force「労働人口」

Manufacturing employs a quarter of the local **workforce**.
製造業はその地域の労働人口の4分の1を雇っている。

727 stable
[stéibl]

形 安定した
- ❗ 同 steady「安定した」 反 unstable「不安定な」
- 名 stability「安定」
- 動 stabilize「安定させる」

He has a **stable** job in a government office.
彼は役所で安定した職に就いている。

728 aid
[éid]

名 援助
- ❗ legal aid「法的支援」
- 動 aid「助ける」

The university provides financial **aid** for students.
その大学は学生に財政的な援助を行っている。

729 concerning
[kənsə́:rniŋ]

前 〜に関して
- ❗ 同 about, regarding「〜に関して」
- 動 concern「関係がある」

I have several questions **concerning** the new procedures.
私は新しい手順に関していくつか質問があります。

730 emphasize
[émfəsaiz]

動 強調する
- ❗ 同 stress「強調する」 名 emphasis「強調」
- 形 emphatic「強調した」
- 副 emphatically「強調的に」

He **emphasized** that he has experience in sales.
彼は営業の経験があることを強調した。

731 honor
[ánər/⊛ɔ́nə]

名 栄誉
! 「敬意」という意味もある　in honor of ～「～の栄誉を称えて」 動 honor「栄誉を授ける，(約束などを)守る」《イギリス英語》honour

The theater was named in **honor** of the famous actor.
その劇場は有名な俳優の栄誉を称えて名づけられた。

732 infer
[infə́ːr]

動 推測する
! 関 imply「ほのめかす」
名 inference「推測」

We can **infer** a lot from these figures.
それらの数値からたくさんのことが推測できます。

733 inventory
[ínvəntɔ̀ːri/⊛-t(ə)ri]

名 在庫
! 同 stock「在庫」
「在庫品リスト」という意味もある

Our store has a large **inventory** of bicycles.
当店は自転車の豊富な在庫があります。

734 major
[méidʒər]

形 重大な
! 「主要な」という意味もある　反 minor「重要でない」 名 major「(大学での)専攻」
名 majority「大多数」(反 minority「少数」)

Traffic congestion is a **major** problem in this area.
この地域では交通渋滞が重大な問題です。

735 measure
[méʒər]

名 対策
! 「基準，量」などの意味もある
同 step「対策」 動 measure「測定する」
名 measurement「測定，寸法」

The government took urgent **measures** to tackle the problem.
政府はその問題に対処するため緊急対策を講じた。

736 progress
[prágres/próug-]

名 進歩
! 「進行, 発展, 前進」という意味もある
動 progress「進む, 発展する」
progress report「中間報告」

He's making steady **progress**.
彼は着実に進歩している。

737 remarkable
[rimá:rkəbl]

形 素晴らしい ! 「驚くべき, 注目に値する」という意味がある 類 astonishing「驚くべき」
動 remark「述べる」 名 remark「発言, 挨拶」
副 remarkably「著しく」(=surprisingly)

Mary did a **remarkable** job organizing the event.
メリーはイベントの運営において素晴らしい働きをした。

738 solution
[səlú:ʃən]

名 解決法
! 「解答, 溶液」などの意味もある
動 solve「解決する」

There's no simple **solution** to the problem.
その問題に対する簡単な解決法はありません。

739 unfortunately
[ʌnfɔ́:rtʃ(ə)nətli]

副 残念ながら
! 類 I'm afraid「残念ながら〜」
形 unfortunate「残念な, 不運な」
反 fortunately「幸いなことに」

Unfortunately, Mr. Baker is not available at the moment.
残念ながらベーカーさんは今、手があいていません。

740 celebrate
[séləbrèit]

動 祝う
! 名 celebration「祝賀」
関 congratulate「(人を) 祝う」

The company will **celebrate** its fiftieth anniversary next month.
この会社は来月、50周年を祝います。

741 hospitality
[hàspətǽləti/hɔ̀s-]

名 手厚いもてなし
- hospitality industry「接客サービス業」
- 形 hospitable「もてなしのよい，快適な」

Thank you for your **hospitality**.
手厚くもてなしてくださりありがとうございます。

742 pharmacy
[fáːrməsi]

名 薬局
- 同 chemist's《イギリス英語》, drugstore《アメリカ英語》「薬局」
- 名 pharmacist「薬剤師」
- 形 pharmaceutical「製薬の」

I bought cold medicine from the **pharmacy**.
私は薬局で風邪薬を買った。

743 primary
[práimèri/-məri]

形 主な
- 「最初の」という意味もある
- 同 main, prime「主な」
- 副 primarily「主に」

Hiring new staff is one of my **primary** duties.
新しい従業員の採用は私の主な職務のひとつです。

744 express
[iksprés]

動 言い表す
- 名 expression「表現」 形 expressive「表現の豊かな」 形 express「明確な，特別の，急ぎの」
- 名 express「急行，速達便」 express mail「速達」

Residents **expressed** concern about road safety.
住民は交通安全に対する懸念を表明した。

745 in accordance with
[əkɔ́ːrd(ə)ns]

〜に則って
- 類 in compliance with〜「〜に則って」

We run the factory **in accordance with** local regulations.
当社は現地の規制に則って工場を操業しています。

746 modify
[mάdəfài / 英 mɔ́d-]

動 変更する
- 名 modification「修正, 変更」
- 同 amend「修正する」

We **modified** our training program this year.
私たちは今年、研修プログラムを変更した。

747 on the whole
[houl]

全体として
- ～ as a whole「～全体に」
- 名 whole「全体」
- 形 whole「全体の」(=entire)

On the whole, the flower show was a success.
全体として、フラワーショーは成功だった。

748 practical
[præktikəl]

形 実用的な
- 名 practice「練習, 実践, 習慣」in practice「実際には」 動 practice「練習する, 行う」
- 副 practically「実質的に, ほとんど」

He gave me **practical** advice on time management.
彼は私に時間管理に関する実用的なアドバイスをしてくれた。

749 priority
[praiɔ́(:)rəti]

名 優先事項
- 動 prioritize「優先順位をつける, 優先する」
- first priority「最優先」

Our top **priority** is to improve quality.
私たちの最優先事項は品質を向上させることです。

750 rapidly
[ræpidli]

副 急速に
- 同 quickly, fast「急速に」
- 形 rapid「急ぎの, 早い」

The number of Internet users is growing **rapidly**.
インターネットの利用者数は急速に増えている。

751 ban
[bæn]

動 禁止する

! **名** ban「禁止, 禁制」(名詞は後ろに前置詞 on)

Some countries temporarily **banned** the import of US beef.
いくつかの国はアメリカ産牛肉の輸入を一時的に禁止した。

752 contrast
[kάntræst/⊕ kɔ́n-]

名 違い

! 「対比, 対照」という意味もある
動 contrast「比べる, 対照をなす」

There's a sharp **contrast** between the old and new systems.
新旧のシステムの間には明確な違いがある。

753 draft
[drǽft/⊕ drάːft]

名 原稿

! **動** draft「立案する」

I made a few revisions to the **draft**.
私は原稿にいくつか変更を加えた。

754 behave
[bihéiv]

動 行動する

! 「行儀よくする」という意味もある
同 act「行動する」
名 behavior「行動」

He **behaved** in a responsible way.
彼は責任のある行動をした。

755 congested
[kəndʒéstid]

形 混雑した

! **名** congestion「混雑, 詰まること」
traffic congestion「交通渋滞」(= traffic jam)

The roads are often **congested** during rush hour.
道路はラッシュ時によく混み合います。

756 panel
[pǽnl]

名 (専門家の) 一団
! 「板, 陪審員団」などの意味もある
名 panelist「(討論に参加する) パネリスト」

A **panel** of judges will choose the winner.
審査員団が優勝者を選びます。

757 urge
[ə́ːrdʒ]

動 強く勧める
! urge A to ～「Aに～することを強く勧める」

They **urged** me to cancel the trip.
彼らは私に旅行を中止するように強く勧めた。

758 flexible
[fléksəbl]

形 融通の利く ! 「柔軟な, 曲がりやすい」などの意味もある 副 flexibly「柔軟に」
名 flexibility「柔軟性」 名 flextime「フレックスタイム制」(= flexible working hours)

My work schedule is very **flexible**.
私の仕事のスケジュールはかなり融通が利きます。

759 acquire
[əkwáiər]

動 得る
! 「買収する, 身に付ける」などの意味もある
名 acquisition「獲得, 習得, 買収」

The airline **acquired** twelve new jets.
その航空会社は12機のジェット機を購入した。

760 assessment
[əsésmənt]

名 評価
! 同 evaluation「評価」
動 assess「評価する」(= evaluate)

What's your **assessment** of the situation?
あなたはこの状況をどのように見ていますか。

761 briefly
[brí:fli]

副 手短に
- 「短い間、簡単にまとめると」という意味もある
- 形 brief「短時間の、簡潔な」 動 brief「要約する、要点を伝える」 名 brief「指示事項」

He **briefly** explained why the project is behind schedule.
彼はなぜプロジェクトが予定より遅れているか簡単に説明した。

762 deposit
[dipázit / dipɔ́zit]

名 頭金
- 「預金、保証金、(石油などの)埋蔵物」などの意味もある　make a deposit「預金する」
- 動 deposit「預ける、入金する」

A **deposit** of twenty percent is required.
20パーセントの頭金が求められています。

763 entire
[intáiər, en-]

形 全体の
- 同 whole「全体の」
- 副 entirely「完全に」(=completely)

The heat wave affected the **entire** region this summer.
この夏、熱波が地域全体に影響を与えた。

764 especially
[ispéʃəli]

副 特に
- 同 particularly「特に」
- 関 in particular「特に」

Everyone was happy with the survey results, **especially** the manager.　全員、調査結果に満足で、特に部長がそうだった。

765 evaluate
[ivǽljuèit]

動 評価する
- 同 assess「評価する」
- 名 evaluation「評価」(=assessment)
- 関 appraisal「勤務評定」

Your supervisor will **evaluate** your work performance.
あなたの上司があなたの仕事ぶりを評価するだろう。

766 imply
[implái]

動 暗に伝える

- 関 infer「推測する」
- 名 implication「暗示, 推測されること」

The article **implied** that the company made the wrong decision.
その記事はその企業が誤った決定を下したことを暗に伝えていた。

767 merger
[mə́:rdʒər]

名 合併

- mergers and acquisitions（略 M&A）「企業の合併・買収」
- 動 merge「合併する, 合併させる」

The supermarket chain announced a **merger** with a rival company. その大手スーパーはライバル会社との合併を発表した。

768 object
[əbdʒékt]

動 反対する

- 名 objection「反対, 異議」 名 óbject「物, 目的」
- 名 objective「目的」 形 objective「客観的な」
- 副 objectively「客観的に」

No one **objected** to his proposal.
だれも彼の提案に反対しなかった。

769 premises
[prémisəz]

名 建物

- 常に複数形（premises） 建物に敷地も含めたものを表す場合もある
- 名 premise「前提, 仮定」

You can buy food on the **premises**.
その建物内で食べ物が買えます。

770 steadily
[stédəli]

副 着実に

- 形 steady「着実な, 安定した」

Our sales have been increasing **steadily**.
当社の売り上げは着実に伸びている。

771 concise
[kənsáis]

形 簡潔な
- 同 brief「簡潔な」
- 副 concisely「簡潔に」
- 名 conciseness「簡潔さ」

Explanations have to be clear and **concise**.
説明は分かりやすく簡潔でなくてはならない。

772 constant
[kánst(ə)nt/kɔ́n-]

形 絶え間ない
- 「不変の」という意味もある
- 副 constantly「絶え間なく」

The human body needs a **constant** supply of water.
人間の体は絶え間ない水分の供給を必要としている。

773 debate
[dibéit]

名 議論
- 類 argument「議論」
- 類 discussion「話し合い」
- 動 debate「討論する」

There has been much **debate** on food safety.
食の安全に関して多くの議論がある。

774 decline
[dikláin]

動 減る
- 「断る」という意味もある
- 同 decrease, drop「減る」
- 名 decline「減少」(= decrease)

Birth rates are **declining** around the world.
出生率は世界中で低下している。

775 insurance
[inʃú(ə)rəns]

名 保険
- 動 insure「保険をかける」
- insurance policy「保険契約」

I took out travel **insurance**.
私は旅行保険に入った。

776 confusing
[kənfjúːziŋ]

形 わかりにくい

- 動 confuse「混乱させる, 混同する」
- 形 confused「混乱した」
- 名 confusion「混乱」

The instruction manual was **confusing**.
その取扱説明書はわかりにくかった。

777 inspector
[inspéktər]

名 検査官

- 動 inspect「検査する」
- 名 inspection「検査」

Safety **inspectors** will visit the construction site next week.
安全検査官が来週、建設現場を訪れます。

778 merchandise
[mə́ːrtʃ(ə)ndàiz/-dàis]

名 商品

- 不可算名詞　同 goods, item「商品」
- 動 merchandise「売り込む」

He examined the **merchandise** carefully.
彼は商品を注意深く調べた。

779 prevent
[privént]

動 阻止する

「防ぐ, 予防する」という意味もある　prevent A from ～ing「Aが～するのを止める」(fromは省略可能)　形 preventive「予防のための」　名 prevention「防止, 予防」

The police **prevented** the protesters from entering the building.
警察は抗議者が建物に入るのを阻止した。

780 anticipate
[æntísəpèit]

動 予想する

- 同 expect「予想する」
- 類 predict, forecast「予測する」
- 名 anticipation「予想, 期待」

Sales are better than we **anticipated**.
売り上げは私たちが予想したより良い。

781 aspect
[æspekt]

名 側面
! 「外観」という意味もある
同 side「側面」

They have settled the financial **aspects** of the deal.
彼らはその取引の財政的側面を決着させた。

782 attempt
[ətémpt]

動 試みる
! 同 try「試みる」
名 attempt「試み」
形 attempted「(法律) 未遂の」

Someone has **attempted** to enter the room through the window.
誰かが窓から部屋に入ることを試みた。

783 claim
[kléim]

動 主張する
! 「求める」という意味もある
名 claim「主張, 要求, 申し立て」 日本語の「クレーム (苦情)」は英語では complaint

He **claimed** that the test results were valid.
彼はそのテスト結果は有効だと主張した。

784 comprehensive
[kàmprihénsiv/kòm-]

形 完全な
! 同 thorough「完全な」 動 comprehend「理解する」(= understand, grasp) 名 comprehension「理解」 形 comprehensible「理解できる」

Call us for a **comprehensive** list of our services.
当社のサービスの完全なリストは、お電話でお申し付けください。

785 force
[fɔːrs]

動 余儀なく〜させる
! 「強制する」という意味もある 名 force「力, 武力, 影響力」 形 forceful「力強い, 強引な」 -ful は「たくさん」という意味の接尾辞 forceful→force がたくさん

Because of the competition, we were **forced** to reduce our fees.
競争のため、当社は料金を下げざるをえなかった。

786 promise
[prámis/⊕prɔ́mis]

動 約束する
- 名 promise「約束」
- 形 promising「将来が有望な」

He **promised** that the graphics would be ready by noon.
彼は画像は正午までに準備できると約束した。

787 superior
[supí(ə)riər]

形 優れている
- 「地位が高い」という意味もある
- 前置詞 to が後ろに続く
- 反 inferior「劣っている」(後ろに続く前置詞は to)

Our new printer is **superior** to most others on the market.
当社の新型プリンターは市場に出ている他のほとんどのものより優れている。

788 political
[pəlítik(ə)l]

形 政治の
- political party「政党」
- 名 politics「政治」 名 politician「政治家」
- 副 politically「政治的に」

Which **political** party do you support?
どの政党を支持しますか。

789 sensitive
[sénsətiv]

形 感度の良い
- 「敏感な, 傷つきやすい, 慎重に扱うべき」などの意味もある 名 sense「感覚, 感情, 正気」 動 sense「感じる」 形 sensible「賢明な, 理にかなった」

This type of microphone is quite **sensitive**.
このタイプのマイクはとても感度が良い。

790 social
[sóuʃəl]

形 社会の
- 名 society「社会, クラブ」
- 動 socialize「人付き合いをする」

He's in charge of the company's **social** responsibility efforts.
彼は会社の社会的責任に関する活動を統括している。

791 tentative
[téntətiv]

形 仮の
- 同 provisional「仮の」
- 副 tentatively「仮に、暫定的に」

I'm sending you a **tentative** schedule for the seminar.
セミナーの仮のスケジュールをお送りします。

792 advisable
[ədváizəbl]

形 望ましい
- 名 advice「助言」
- 動 advise「勧める」

It is **advisable** to book your tickets early.
早めにチケットの予約をするのが望ましい。

793 argue
[áːrgjuː]

動 言い争う
- 「論じる」という意味もある
- 名 argument「口論, 議論」

They're **arguing** about money.
彼らはお金について言い争っている。

794 defend
[difénd]

動 正当性を主張する
- 「守る, 肩を持つ」などの意味もある
- 名 defense「防護, 防衛, 弁護」
- 形 defensive「守りの (反 offensive「攻めの」)」

The firm **defended** its decision to reduce its workforce.
その会社は従業員削減の決定の正当性を主張した。

795 deserve
[dizə́ːrv]

動 受けるのに値する
- deserve to ~「~するのにふさわしい」

He believes he **deserves** a promotion.
彼は自分が昇進を受けるのに値すると思っている。

796 element
[éləmənt]

名 要因
- 「要素, 成分」などの意味もある
- 同 factor「要因」

Cost was an important **element** in our decision.
費用は私たちの決定に重要な要因だった。

797 border
[bɔ́ːrdər]

名 国境
- 「境界」が元の意味
- 動 border「隣接する」 名 borderline「境目」
- 形 borderline「ぎりぎりの」

The town is situated near the Mexican **border**.
その町はメキシコとの国境近くにある。

798 extensive
[iksténsiv]

形 幅広い
- 「大規模な」という意味もある
- 副 extensively「広く」

I have **extensive** knowledge of web design.
私はウェブデザインに関する幅広い知識があります。

799 function
[fʌ́ŋkʃən]

名 職務
- 「機能, 催し」などの意味もある
- 動 function「機能する」 形 functional「機能的な, 正常に機能している」 名 malfunction「故障」 動 malfunction「正常に機能しない」

The branch manager performs a number of **functions**.
支店長は多くの職務を担っている。

800 global
[glóub(ə)l]

形 世界的な
- 名 globe「地球, 地球儀」
- 副 globally「全世界で, 地球規模で」
- global warming「地球温暖化」

There has been a slowdown in the **global** economy.
世界経済の景気後退が起こっている。

801 judge
[dʒʌ́dʒ]

動 判断する

- 名 judge「審判, 裁判官, 審査員」
- 名 judgment「判断」

It's too early to **judge** how effective the program is.
その方策がどれだけ効果があるか判断するのはまだ早すぎる。

802 real estate
[istéit, es-]

名 不動産

- 類 property「不動産」

I called a **real estate** agent this morning.
私は今朝、不動産業者に電話をした。

803 survive
[sərváiv]

動 生き残る

- 名 survival「生き残り」
- 名 survivor「生存者」

These banks can't **survive** without government aid.
それらの銀行は政府の援助がなければ生き残れない。

804 traditional
[trədíʃənl, -ʃnəl]

形 伝統的な

- 名 tradition「伝統」
- 副 traditionally「伝統的に」

The restaurant serves **traditional** Italian dishes.
そのレストランは伝統的なイタリア料理を提供しています。

805 absolutely
[ǽbsəlùːtli]

副 まったく

- 強調するときに使う　文脈によって「絶対に, 完全に, もちろん」などの意味になる
- 形 absolute「完全な, 絶対的な」

I have **absolutely** no idea.
私はまったくわかりません。

806 worldwide
[wə́:rldwáid]

副 世界中に

❗ 同 all over the world, around the world「世界中に」 関 nationwide「国中に」
形 worldwide「世界中の」

They have branches in thirty countries **worldwide**.
彼らは世界中30ヵ国に支店を持っている。

807 favorable
[féiv(ə)rəbl]

形 好意的な

❗「適した,有利な」という意味もある 名 favor「助け,賛成,有利」動 favor「好む,賛成する,有利に働く」名 favorite「お気に入り」形 favorite「お気に入りの」

We have received a **favorable** response from customers.
私たちはお客様より好意的な反応を得ています。

808 length
[léŋθ/léŋkθ]

名 長さ

❗ 形 long「長い」
動 lengthen「長くする,伸ばす」
-enは動詞を作る接尾辞

Your salary depends on **length** of service with the company.
あなたの月給はこの会社での勤続年数により決まります。

809 relatively
[rélətivli]

副 比較的に

❗ 形 relative「比較上の,相対的な」
名 relative「身内,親戚」名 relation「関係」
名 relationship「関係」

The book is **relatively** easy to understand.
この本は比較的理解しやすい。

810 count on
[kaunt]

頼りにする

❗ 動 count「数える,数に入れる,重要である」

I'm **counting on** you.
私はあなたを頼りにしています。

知っていると差がつく応用の

330

811 inconvenience
[ìnkənvíːnjəns]

名 迷惑
- 「不便, 不都合」という意味もある
- 形 inconvenient「不便な, 都合の悪い」
- 副 inconveniently「不便なことに, 都合の悪いことに」

We apologize for any **inconvenience** this may cause.
これによりご迷惑をおかけしましたことを、お詫び申し上げます。

812 incorrect
[ìnkərékt]

形 不正確な
- 同 inaccurate「不正確な」
- 反 correct「正確な」
- 副 incorrectly「間違って」

The information in the newsletter was **incorrect**.
そのニュースレターの情報は間違っていました。

813 mayor
[méiər]

名 市長
- 地方自治体の長を表す語
- 類 governor「知事」

The **mayor** attended the ceremony.
市長はその式典に参加した。

814 statistics
[stətístiks]

名 統計値
- 複数形のstatisticsで使われるのが普通
- 形 statistical「統計的な」
- 副 statistically「統計的に」

I don't think these **statistics** are reliable.
それらの統計値が信用できるとは思えません。

815 label
[léibl]

動 ラベルをつける
- 「レッテルをはる, 決めつける」という意味もある
- 名 label「ラベル」

He carefully **labeled** each box with its contents.
彼は箱ひとつひとつに内容物を示すラベルを丁寧につけた。

816 memorable
[mém(ə)rəbl]

形 印象的な

! 名 memory「記憶, 思い出」
　動 memorize「覚える」

What has been the most **memorable** moment of your career?
あなたの仕事の経験の中でこれまでに一番印象的な一瞬はどんなときでしたか。

817 nominate
[nάmənèit/nɔ́m-]

動 候補に挙げる

! 「指名する, 任命する」(=appoint) という意味もある　名 nomination「推薦, 任命」

Five companies have been **nominated** for the award.
5社がその賞の候補に挙げられた。

818 dramatic
[drəmǽtik]

形 劇的な

! 「感動的な, 演劇の」という意味もある
　名 drama「演劇」
　副 dramatically「劇的に」

There has been a **dramatic** increase in sales.
売り上げに劇的な上昇があった。

819 persuade
[pərswéid]

動 説得する

! 名 persuasion「説得」
　形 persuasive「説得力のある」(=convincing)

She **persuaded** me to join her firm.
彼女は私が彼女の会社に入るよう説得した。

820 delighted
[diláitid]

形 とても喜んでいる

! 類 pleased「喜んでいる」
　名 delight「喜び」　動 delight「喜ばせる」
　形 delightful「とても感じがよい, とても快適な」

I was **delighted** to hear the news.
私はその知らせを聞いてとてもうれしく思いました。

知っていると差がつく応用の **330**

821 sufficient
[səfíʃənt]

形 十分な
- 同 enough「十分な」
- 反 insufficient「不十分な」
- 副 sufficiently「十分に」

Our budget is not **sufficient** to renovate the cafeteria.
当社の予算は従業員食堂を改装するのに十分ではない。

822 exhausted
[igzɔ́:stid]

形 疲れ果てた
- 「使い果たされた」という意味もある 類 tired「疲れた」 動 exhaust「疲れさせる, 使い果たす」 名 exhaustion「極度の疲労, 使い果たされたこと」

After a long meeting, everyone was **exhausted**.
長いミーティングのあと、みんな疲れ果てていた。

823 acknowledge
[əknάlidʒ/⊕-nɔ́lidʒ-]

動 認める
- 「認識する, 同意する, (受信を)知らせる」などの意味もある acknowledge receipt of ~「~を受け取ったことを知らせる」
- 名 acknowledgement「承認, 謝辞, 通知」

The governor **acknowledged** the need for regional sports facilities.
知事は地域のスポーツ施設の必要性を認めた。

824 consequence
[kάnsəkwèns/kɔ́nsəkwəns]

名 結果
- 形 consequent「結果として起こる」
- 副 consequently「結果として」(= as a consequence, as a result)

The merger will have serious **consequences** for the workers.
合併は従業員に深刻な結果をもたらすであろう。

825 dispose of
[dispóuz]

~を処分する
- 「売却する, 解決する」という意味もある 同 get rid of「~を処分する」 名 disposal「処理」 at ~'s disposal「~が自由に使える」

How should we **dispose of** our old furniture?
古い家具をどうやって処分するべきですか。

826 implement
[ímpləmənt]

動 実施する

! 「実行する」という意味もある 類 carry out「行う」 introduce「導入する」 名 implement「道具」 名 implementation「実施」

We have **implemented** new security measures.
当社は新しい警備対策を実施した。

827 ensure
[inʃúər, en-]

動 確実に行う

! 同 make sure「確実にする」
en- は動詞を作る接頭辞

We **ensure** that our water is clean.
私たちは水をきれいな状態に確実にします。

828 component
[kəmpóunənt]

名 部品

! 「成分, 要素」という意味もある
同 parts「部品」

All the **components** should be tested before assembly.
すべての部品は組み立ての前に検査されなければならない。

829 contrary
[kántrèri / 英 kɔ́ntrəri]

形 反した ! 「正反対の」という意味もある
contrary to ~「~に反して」
名 contrary「正反対」 on the contrary「それとは逆に」 名 contradiction「矛盾」
形 contradictory「矛盾する」

The results were **contrary** to our expectations.
結果は私たちの期待に反していた。

830 appropriate
[əpróupriət]

形 適切な

! 副 appropriately「適切に」
反 inappropriate「不適切な」

I thought my answer was **appropriate**.
私の回答は適切なものだと思った。

知っていると差がつく応用の330

831 determine
[ditə́ːrmin]

動 究明する
- 「決め手となる, 決定する」などの意味もある
- 形 determined「決意の固い」
- 名 determination「決意」

They're trying to **determine** the cause of the accident.
彼らは事故の原因を究明しようとしている。

832 evidence
[évəd(ə)ns]

名 証拠
- 同 proof「証拠」 形 evident「明らかな」(= clear, obvious) 副 evidently「明らかに (= obviously), どうやら (=apparently)」

There is no scientific **evidence** to support his theory.
彼の理論を裏付ける科学的な証拠がない。

833 institution
[ìnstət(j)úːʃən/-tjúː-]

名 機関
- 「制度, 福祉施設」などの意味もある 形 institutional「組織の, 制度化された」
- 名 institute「(教育・研究を目的とした) 機関」
- 動 institute「開始する」

The government is trying to save financial **institutions**.
政府は金融機関を救おうとしている。

834 municipal
[mjuːnísəp(ə)l]

形 市営の
- 「地方自治体の」という意味が基本
- 名 municipality「地方自治体」

The job fair will be held at the **municipal** hall.
就職フェアは市民会館で行われます。

835 retain
[ritéin]

動 保管する
- 「保持する, 取り込む, 覚える, 雇う」などの意味もある 名 retention「保有, 記憶」

Please **retain** the bottom portion of the form for your records.
記録用に申込用紙の下の部分を保管しておいてください。

836 supplement
[sʌ́pləmènt]

動 加算する
- 「補う, 補完する」という意味が基本
- 名 supplement「追加, 補足, 付録, 栄養補助食品」
- 形 supplementary「補足の, 追加の」

Our base salary is **supplemented** with bonuses.
当社の基本給にはボーナスが加算されます。

837 generate
[dʒénərèit]

動 生み出す
- 「発生させる」という意味もある
- 類 create「作り出す」 produce「生産する」

The construction project will **generate** a lot of new jobs.
その建設プロジェクトは多くの新規雇用を生み出す。

838 occupy
[ákjupài/英 ɔ́k-]

動 占める
- 形 occupied「使われている, 忙しい, 占領された」
- 名 occupancy「占有, 使用」
- 名 occupation「職業, 占有, 占領」

The company **occupies** the second floor of the building.
その会社はビルの2階を占めています。

839 substitute
[sʌ́bstət(j)ùːt/英 -tjùːt]

動 代わりをする
- 名 substitute「代わりの人・物」
- 名 substitution「代用, 置き換え」

Jeff **substituted** for Carla today.
今日はジェフがカーラの代わりをした。

840 mutual
[mjúːtʃuəl]

形 お互いの
- 副 mutually「お互いに」
- mutual understanding「相互理解」

There is **mutual** benefit in working together.
一緒に仕事をすることはお互いの利益になる。

知っていると差がつく応用の 330

841 enhance
[inhǽns, en-/英-háːns]

動 高める
! 名 enhancement「強化, 向上」

This software will **enhance** the sound quality of audio files.
このソフトウエアは音声ファイルの音質を高める。

842 existing
[igzístiŋ]

形 既存の
! 動 exist「存在する」
名 existence「存在」

We must maintain our **existing** facilities.
私たちは既存の施設を保守整備しなければならない。

843 explore
[ikspló:r]

動 探索する
! 「調査する」という意味もある
名 explorer「探検家」

We **explored** the city all day.
私たちはその街を一日探索した。

844 clarify
[klǽrəfài]

動 明確にする
! 形 clear「明確な, はっきりした, 澄んだ」名 clarity「明確さ」

I'd like to **clarify** the terms of my contract.
私は契約条件を明確にしたいと思います。

845 complex
[kəmpléks, kámpleks/英 kómpleks]

形 複雑な
! 同 complicated「複雑な」
名 complexity「複雑さ」

Our company has a **complex** management structure.
当社は複雑な経営構造をしている。

846 concentrate
[káns(e)ntrèit/kɔ́n-]

動 集中する

❗「1ヵ所に集まる，濃縮する」などの意味もある
形 concentrated「集中した，濃縮された」
名 concentration「集中」(後ろに続く前置詞はon)

I couldn't **concentrate** during this morning's meeting.
私は今朝のミーティングの際、集中できなかった。

847 concept
[kánsept/⊛kɔ́n-]

名 概念

❗ 名 conception「理解，構想」 形 conceptual「概念の」 副 conceptually「概念的に」
動 conceptualize「概念化する」

I'll explain the basic **concepts** of information technology.
私は情報技術の基礎概念をご説明します。

848 dedicated
[dédəkèitid]

形 打ちこんでいる ❗「献身的な，専用の」などの意味もある 同 devoted, committed「熱心に行っている」 be dedicated to ～ingの形に注意 動 dedicate「ささげる，専念する」
名 dedication「献身」

We are **dedicated** to protecting the environment.
私たちは環境の保護に全力を尽くしています。

849 apprentice
[əpréntis]

名 見習い

❗ 関 intern「実習生」

Andrew works for an electric company as an **apprentice** technician.
アンドリューは見習い技術者として電気会社に勤めている。

850 exposed
[ikspóuzd]

形 さらされた

❗ 動 expose「さらす，見せる，触れさせる」
名 exposure「さらすこと，露出，触れる機会」

The color can fade when **exposed** to sunlight.
日光にさらされると色が落ちることがあります。

851 impact
[ímpækt]

名 影響

! 動 impact「影響を与える」

Many people have felt the **impact** of the economic crisis.
多くの人が経済危機の影響を感じた。

852 numerous
[n(j)úːm(ə)rəs / njúː-]

形 数多くの

! 類 a lot of, plenty of, a large number of, many「多くの」
副 numerously「数多く」 名 number「数」
形 numerical「数字の」
in numerical order「番号順」

I've visited their office on **numerous** occasions.
私は彼らのオフィスに何度も行った。

853 settle
[sétl]

動 解決する

! 「決める, 落ち着く, 落ち着かせる, 定住する」などの意味もある 名 settlement「合意, 清算, 入植地」 名 settler「入植者」

The two companies are trying to **settle** the dispute.
その2社は争いを解決しようとしている。

854 attire
[ətáiər]

名 服装

! 不可算名詞 同 clothes「服装」

Formal **attire** is required for the party.
このパーティーには正装が求められています。

855 diversity
[dəvə́ːrsəti, dai-/dai-]

名 多様性

! 同 variety「多様性」
形 diverse「さまざまな」
動 diversify「多様化する」

South Africa is rich in cultural **diversity**.
南アフリカは文化的多様性に恵まれている。

856 inspire
[inspáiər]

動 意欲を掻き立てる
- 形 inspiring「人を奮起させるような」

The team members were **inspired** by his speech.
チームのメンバーは彼のスピーチによってやる気が湧いた。

857 transit
[trǽnzit, -sit]

名 輸送
- 「交通」(= transport, transportation) という意味もある　in transit「輸送中に」

The package was damaged in **transit**.
その小包は輸送中、損傷を受けた。

858 multiple
[mʌ́ltəpl]

形 多数の
- 動 multiply「掛け算をする、数が増える」
- 名 multiplication「掛け算、増加」

I made **multiple** copies of the documents.
私はその書類のコピーを多数、用意した。

859 solve
[sɑ́lv/⊛sɔ́lv]

動 解決する
- 同 resolve「解決する」
- 名 solution「解決」

Our engineers are working to **solve** the problem.
当社の技術者は問題解決に取り組んでいます。

860 insert
[insə́ːrt]

動 入れる
- 「差し込む、書き入れる」という意味もある
- 名 insert「折り込み広告、挿入物」
- 名 insertion「挿入」

Insert coins into the parking meter.
駐車メーターに硬貨を入れてください。

知っていると差がつく応用の

330

861 coordinate
[kouɔ́:rdənèit]

動 まとめる
- 名 coordinator「まとめ役」
- 名 coordination「調整, 協調」

Ms. Windsor **coordinates** product development.
ウインザーさんは製品開発をまとめています。

862 suspend
[səspénd]

動 一時的に止める
- 「ぶら下がる, 停職にする」などの意味もある
- 名 suspension「一時中止, 停職, つるすこと」

Production was **suspended** while technicians made repairs.
技術者が修理を行っている間、生産は一時停止された。

863 compensate
[kámpensèit/kɔ́m-]

動 補償する
- 「補う」という意味もある
- 名 compensation「賠償金, 埋め合わせ, 報酬」

She was **compensated** for her injuries.
彼女は負傷に対して補償を受けた。

864 relevant
[réləvənt]

形 関係のある
- 反 irrelevant「関係のない」
- ir- は反対の意味を表す接頭辞

I have all the **relevant** information.
私はすべての関連情報を持っています。

865 correspond
[kɔ̀:rəspánd/kɔ́rəspɔ́nd]

動 連絡する
- 「相当する, 対応する」などの意味もある
- 名 correspondence「手紙のやりとり, 通信, 対応関係」
- 名 correspondent「特派員」

E-mail is the best way to **correspond** with your instructors.
メールが講師と連絡を取るのに最適な手段です。

866 invent
[invént]

動 発明する

! 「でっち上げる」という意味もある　名 invention「発明, 発明品」　形 inventive「想像力のある」(=creative)　名 inventor「発明者」

Our engineers **invented** this technology.
当社の技術者がこの技術を発明しました。

867 weaken
[wíːk(ə)n]

動 弱める

! 形 weak「弱い」　名 weakness「弱さ, 弱点」
-en は動詞を作る接尾辞
反 strengthen「強める」

The recession has **weakened** demand for luxury goods.
不景気は高級品の需要を弱めた。

868 translate
[trænsléit]

動 翻訳する

! 類 interpret「通訳する」
名 translation「翻訳」
名 translator「翻訳者」

Could you **translate** this document into English, please?
この文書を英語に翻訳してもらえますか。

869 commission
[kəmíʃən]

名 歩合

! 「手数料, 委員会, 委託」などの意味もある
動 commission「委託する」

I get a ten percent **commission** for my sales.
私は売り上げに対して10パーセントの歩合をもらう。

870 sweep
[swíːp]

動 掃く

! 類 wipe「ふく」　mop「モップをかける」
clean「掃除する」
名 sweep「掃除, 一掃, 全勝」

He's **sweeping** the floor.
彼は床を掃いている。

知っていると差がつく応用の

330

第4章

高得点を狙う上級の120

ターゲットライン　860点

871 administrative
[ədmínəstrèitiv/-trətiv]

形 管理の

- **動** administer「管理する, 運営する」
- **名** administrator「管理者」
- **名** administration「管理, 運営, 政権」

We need another **administrative** assistant.
私たちはもうひとり管理スタッフが必要です。

872 deserted
[dizə́:rtid]

形 人気のない

- 「見捨てられた」という意味もある **動** desért「去る, 見捨てる」(＝abandon) **名** désert「砂漠」 名詞と動詞でアクセントの位置が違う

The street is **deserted**.
その通りは人気がない。

873 prove
[pru:v]

動 〜である

- 「証明する」という意味もある
- **名** proof「証明, 証拠」(＝ evidence) proof of purchase「購入の証明」

The new service **proved** to be a success.
新サービスは成功でした。

874 severe
[səvíər]

形 深刻な

- 「厳しい」という意味もある
- **副** severely「深刻に, 厳しく」

The storm caused **severe** damage to over one hundred homes.
その嵐は100軒以上の家屋に大きな損害を与えた。

875 admire
[ədmáiər]

動 称賛する

- **名** admiration「称賛」
- **名** admirer「崇拝者」

I **admire** him for his courage.
私は彼の勇気を高く評価する。

876 destination
[dèstənéiʃən]

名 目的地
! tourist destination「観光目的地＝観光地」

Hawaii is a popular tourist **destination**.
ハワイは人気のある観光地です。

877 disturb
[distə́ːrb]

動 邪魔をする
! 「不安にさせる」という意味もある **形** disturbing「不安にさせるような」 **形** disturbed「心配する」 **名** disturbance「妨害, 騒動」

Don't **disturb** him while he's working.
彼が仕事をしている最中、邪魔をしないでください。

878 vessel
[vésl]

名 船
! 「血管, 容器」という意味もある
関 ship「船」 boat「ボート」
cruiser「クルーズ船」 yacht「ヨット」

A **vessel** is moving on the water.
船が水面を移動している。

879 authorization
[ɔ̀ːθ(ə)rəzéiʃən/-raiz-]

名 許可
! **動** authorize「許可を与える」
名 authority「権威, 当局, 専門家」
leading authority「第一人者」

You must get **authorization** from the accounting manager.
あなたは経理部長から許可を得る必要があります。

880 content
[kəntént]

形 満足している
! 同 satisfied「満足している」 **動** content「満足させる」 **形** contented「満足した, 満足している」 **副** contentedly「満足して, 満足げに」

We were **content** with the results.
私たちはその結果に満足していた。

高得点を狙う上級の

881 conflict
[kánflikt/kɔ́n-]

名 対立
- 「紛争, 葛藤」などの意味もある
  scheduling conflict「スケジュールのかち合い」

There's a **conflict** between the two managers.
その2人の部長は対立している。

882 accommodation
[əkɑ̀mədéiʃən]

名 宿泊施設
- 動 accommodate「泊める, 収容する, 受け入れる」
  形 accommodating「親切な」

The price includes airfare and hotel **accommodations**.
料金には航空運賃とホテルの宿泊費が含まれています。

883 physician
[fəzíʃən]

名 内科医
- 同 doctor「医師」 形 physical「身体的な」
  名 physics「物理学」 名 physicist「物理学者」
  関 surgeon「外科医」

Mr. Nelson's son became a **physician**.
ネルソンさんの息子は医者になった。

884 strength
[streŋ(k)θ]

名 強み
- 「強さ, 力」などの意味もある
  形 strong「強い」
  動 strengthen「強くする」

Martha's main **strength** is her flexibility.
マーサの強みは柔軟性だ。

885 surrounding
[səráundiŋ]

形 周辺の
- 類 nearby「近くの」
  名 surroundings「周囲のもの」
  動 surround「囲む」

I visited Vancouver and the **surrounding** area last summer.
私は去年の夏、バンクーバーとその周辺地域に行った。

886 transaction
[trænsǽkʃən]

名 取引

! **動** transact「取引をする」(=do business)
a commercial transaction「商取引」

We have completed the **transaction**.
私たちは取引を完了させた。

887 coincidence
[kouínsəd(ə)ns]

名 偶然

! 「一致」という意味もある
形 coincident「同時の」
動 coincide「同時に起きる, 一致する」

By **coincidence**, we were on the same plane.
偶然に私たちは同じ飛行機に乗った。

888 confess
[kənfés]

動 告白する

! 「自供する」という意味もある
名 confession「告白」

I must **confess** that I haven't read any of his books.
私は彼の本をどれも読んでいないことを告白しなければなりません。

889 conscious
[kánʃəs/英 kɔ́n-]

形 意識的な

! 「意識している, 意識のある」などの意味もある
副 consciously「意識的に」
名 consciousness「意識」

I made a **conscious** effort to reduce weight.
私は体重を減らすため意識的な努力をした。

890 convert
[動 kənvə́ːrt] [名 kánvəːrt]

動 変換する

! 「変える, 転向させる」などの意味もある
名 convert「転向者」
形 convertible「変換可能な」

We can **convert** the document into a different format.
私たちはその書類を別のフォーマットに変換することができます。

高得点を狙う上級の

891 donation
[do(u)néiʃən]

名 寄付
- 同 contribution「寄付」
- 動 donate「寄付をする」

He made a large **donation** to a charity last year.
彼は昨年、チャリティーに巨額の寄付をした。

892 elect
[ilékt]

動 選出する
- 名 election「選挙」
- 名 elector「有権者」

We **elected** a chairperson.
私たちは議長を選出した。

893 fascinating
[fǽsəneitiŋ]

形 とても面白い
- 「非常に興味深い, とても魅力的な」という意味
- 動 fascinate「魅了する」 形 fascinated「魅了された」 名 fascination「魅力, 強い興味」

The new musical was **fascinating**.
新作のミュージカルはとても面白かった。

894 grateful
[gréitfəl]

形 感謝している
- I would be grateful if you would ~「~していただけたらとてもうれしいです」(人に頼みごとをするときの表現)

I'm **grateful** to my co-workers for their help.
私は同僚の支援に感謝している。

895 insight
[ínsàit]

名 知識
- 「洞察力」という意味もある
- 形 insightful「洞察力のある」

The article gives us an **insight** into time management.
この記事は時間管理に関する知識を与えてくれる。

896. interactive
[ìntəræktiv]

形 双方向性の
- 動 interact「交互に交流し合う,相互に影響し合う」
- 名 interaction「相互作用, 交流」

The museum features **interactive** exhibits.
その博物館には双方向性の展示がある。

897. itinerary
[aitínərèri/⊕-rəri]

名 旅行日程
- 旅行関連のトピックはTOEICで頻出

This **itinerary** includes a visit to Windsor Castle.
この旅行日程にはウィンザー城の見学が含まれています。

898. omit
[o(u)mít]

動 省く
- 名 omission「省略」

You can **omit** details if time is running out.
もし時間がなくなってきたら、詳細は省いていいですよ。

899. possess
[pəzés]

動 持つ
- 名 possession「所有」

Different people **possess** different skills.
異なる人が異なるスキルを持っている。

900. prompt
[prɑmpt/⊕prɔmpt]

形 素早い
- 「時間に正確な」という意味もある
- 動 prompt「促す」
- 副 promptly「素早く」

Prompt action is needed.
素早い行動が必要とされている。

高得点を狙う上級の

120

901 reverse
[rivə́ːrs]

形 裏側の
- 「逆の, 反対の」という意味もある
- 名 reverse「反対, 逆, 後進」
- 動 reverse「(決定を)覆す, 後進する, 裏返す」

Additional instructions are on the **reverse** side of the form.
追加の説明は用紙の裏面にあります。

902 reward
[riwɔ́ːrd]

名 報奨金
- 「褒賞」という意味もある
- 動 reward「褒賞を与える, 報いる」
- 形 rewarding「やりがいのある」

The firm offers financial **rewards** to its employees.
その会社は従業員に報奨金を出す。

903 entitle
[intáitl, en-]

動 権利を与える
- 「題名をつける」という意味もある

You are **entitled** to twenty paid holidays per year.
あなたは毎年20日の有給休暇を取る権利が与えられています。

904 fasten
[fǽsn/fáːsn]

動 締める
- fasten の「t」は発音しない
- 名 fastener「留め具, ファスナー」

Please **fasten** your seat belts securely.
シートベルトをしっかりと締めてください。

905 external
[ikstə́ːrnl]

形 外部の
- 反 internal「内部の」

They decided to seek **external** advice.
彼らは外部の助言を求めることに決めた。

906 auditor
[ɔ́ːdətər]

名 会計検査官
- 「聴講する人」という意味もある
- 名 audit「会計検査, 聴講」
- 動 audit「(会計を)検査する, 聴講する」

An outside **auditor** will visit our office next week.
外部の会計検査官が来週、私たちのオフィスに来る。

907 excessive
[iksésiv]

形 過度の
- 名 excess「過度, 過剰」
- 副 excessively「過度に」
- 動 exceed「超える」

Excessive drinking can cause health problems.
過度の飲酒は健康上の問題を引き起こすことがあります。

908 extract
[ikstrǽkt]

動 抽出する
- 「取り出す」という意味がある語
- 名 extract「引用, 抽出物」
- 名 extraction「抽出」

I'll show you how to **extract** oil from olives.
オリーブからオイルを抽出する方法をお見せします。

909 nutritional
[n(j)uːtríʃənl/njuː-]

形 栄養に関する
- 名 nutrition「栄養」
- 副 nutritionally「栄養的に」
- 形 nutritious「栄養のある」

The **nutritional** value of fish is high.
魚の栄養価は高い。

910 duplicate
[d(j)úːpləkèit]

動 複製する
- 同 copy「複製する」 形 duplicate「複製の」
- 名 duplicate「複製」 名 duplication「複製」

Once you **duplicate** a template, you can then modify it.
テンプレートを複製したら、それを変更することができます。

911 attribute
[ætribjùːt, -bjuːt]

動 〜の結果であると考える

! attribute A to B「AをBに帰する」
名 attribute「特性」

He **attributes** his success to hard work and luck.
彼は成功を勤勉と幸運の結果だと考えている。

912 diligent
[dílədʒənt]

形 勤勉な

! **副** diligently「勤勉に」
名 diligence「勤勉さ」

James is a **diligent** worker.
ジェームズは勤勉な従業員です。

913 discretion
[diskréʃən]

名 判断力

! **形** discretionary「自由裁量の」
at one's discretion「(人)の裁量で」

You should use your own **discretion** when making decisions.　決定を下すとき、自分の判断力を使うべきです。

914 intensive
[inténsiv]

形 集中的な

! **副** intensively「集中的に」
形 intense「極度の, 激しい」
名 intensity「激しさ」

New teachers are required to attend an **intensive** training session. 新任の教師は集中研修に参加することが求められている。

915 ongoing
[ángòuiŋ/ɔ́n-]

形 現在行われている

! go on 〜ing「〜し続ける」

The main entrance is closed due to the **ongoing** renovations.　現在行われている改装工事のため、正面玄関は閉鎖されています。

916 resume
[rizúːm/英 -zjúːm-]

動 再開する
! 「元の位置に戻る」という意味もある

We will **resume** our negotiations on Monday.
私たちは月曜日に交渉を再開します。

917 trustee
[trʌstíː]

名 評議員
! board of trustees「評議員会」
board of directors「取締役会」

I'm giving a presentation to the board of **trustees**.
私は評議員会でプレゼンテーションをする。

918 compromise
[kámprəmàiz/英 kɔ́m-]

動 妥協する
! 「歩み寄る」という意味もある
名 compromise「妥協, 譲歩」

We never **compromise** quality for cost.
当社はコストのために品質で妥協することは決してない。

919 accumulate
[əkjúːmjulèit]

動 累積する
! 形 accumulative「累積していく」
名 accumulation「累積」

We should avoid **accumulating** debt.
私たちは借金の累積を避けるべきです。

920 adjacent
[ədʒéis(ə)nt]

形 隣接した
! 後ろに続く前置詞は to
熟 next to ~「~のとなりに」

The hotel has an outdoor bar **adjacent** to the swimming pool.
そのホテルにはスイミングプールに隣接した野外のバーがある。

高得点を狙う上級の

921 assume
[əsúːm/əsjúːm]

動 思う
- 「引き受ける, 就任する」という意味もある
- 名 assumption「想定」

I **assume** our radio advertisement was very effective.
私は当社のラジオ広告はとても効果的だったと思います。

922 boost
[buːst]

動 高める
- 類 increase「増やす」 improve「向上させる」 enhance「高める」

I hope the new ad campaign will **boost** sales.
新しい広告キャンペーンが売り上げを伸ばすことを期待しています。

923 confidential
[kànfədénʃəl/kɔ̀n-]

形 秘密の
- 同 secret「秘密の」
- 名 confidentiality「機密性, 守秘義務」
- confidentiality agreement「秘密保持契約」

She has access to the **confidential** documents.
彼女は秘密文書にアクセスできる。

924 constraint
[kənstréint]

名 制約
- 同 restriction「制約」
- 動 constrain「制約する」
- 形 constrained「強いられた」

We couldn't visit the lighthouse due to time **constraints**.
時間の制約により、私たちは灯台に行けなかった。

925 distinguish
[distíŋgwiʃ]

動 区別する
- distinguish A from B「AをBと区別する」
- 形 distinguished「際立った, 優れた」

What factor **distinguishes** your company from others?
何が貴社を他社と差別化する要因ですか。

926 dominate
[dάmənèit]

動 支配する
! 形 dominant「支配的な」
名 domination「支配」

Three large companies **dominate** the market.
3大企業が市場を支配している。

927 impose
[impóuz]

動 課す
!「強要する」という意味もある impose a ban「禁止する」 名 imposition「課すこと、不当な要求」 形 imposing「堂々とした、人目を引く」

The government **imposed** a ban on smoking in public places.
政府は公共の場所での喫煙を禁止した。

928 persist
[pərsíst]

動 根強く続ける
! 形 persistent「根強く続く、粘り強い」
名 persistence「粘り強さ」

Alice **persisted** in searching for a job.
アリスは職探しを根強く続けた。

929 pivotal
[pívətl]

形 重要な
! 同 crucial, vital「重要な」 類 central「中心的な」 名 pivot「軸、中心、かなめ」
動 pivot「回る、回す」

Agriculture plays a **pivotal** role in the country's economy.
農業はその国の経済にとって重要な役割を担っている。

930 prominent
[prάmənənt/⊕prɔ́m-]

形 有名な !「重要な、目立つ、突き出た」などの意味もある 同 well-known, famous, noted, notable, renowned「有名な」
副 prominently「目立つように」

The guest speaker was a **prominent** scientist.
ゲスト講演者は有名な科学者だった。

高得点を狙う上級の

120

931 remote
[rimóut]

形 わずかな
- 「遠く離れた，人里離れた (= isolated)」などの意味もある　同 slight「わずかな」
- 副 remotely「わずかに，離れて」

There's a **remote** possibility that my trip will be canceled.
私の旅行が中止になる可能性はほんのわずかである。

932 restricted
[ristríktid]

形 制限された
- 同 limited「制限された」
- 動 restrict「制限する」
- 名 restriction「制限，制約 (= constraint)」

Access to the building is **restricted** to authorized personnel only.　その建物への出入りは許可を得た従業員のみに制限されている。

933 terminate
[tə́ːrmənèit]

動 打ち切る
- 「終わる，終着駅となる」などの意味もある
- 名 termination「終結」
- 名 terminal「終着駅」

The company **terminated** his contract.
その会社は彼の契約を打ち切った。

934 verify
[vérəfài]

動 確かめる
- 「証明する，証言する」という意味もある
- 同 check「確認する」

We need to **verify** your account information.
私たちはあなたのアカウント情報を確認する必要があります。

935 adopt
[ədápt/⊕ədɔ́pt]

動 導入する
- 「養子にする，可決する」などの意味もある
- 名 adoption「導入，養子縁組」

We **adopted** a different approach to the problem.
当社はその問題に対して前と違う対処法を導入した。

936 allocate
[ǽləkèit]

動 割り当てる
- 名 allocation「割り当て」

The firm has **allocated** two thousand dollars to the project.
その会社はプロジェクトに2000ドルを割り当てた。

937 attain
[ətéin]

動 達成する
- 同 achieve, accomplish「成し遂げる」
- 名 attainment「達成」(=achievement, accomplishment)

We have **attained** high levels of customer satisfaction.
当社は高いレベルの顧客満足度を達成した。

938 collapse
[kəlǽps]

動 崩壊する
- 「倒れる」という意味もある
- 名 collapse「崩壊, 暴落, 破綻」

The housing market has **collapsed**.
住宅市場が崩壊した。

939 commemorate
[kəmémərèit]

動 祝う
- 「追悼する」という意味もある
- 名 commemoration「記念するもの」

The club held a party to **commemorate** its first anniversary.
そのクラブは1周年を祝うパーティーを催した。

940 consent
[kənsént]

名 承認
- 動 consent「承諾する」
- informed consent「(医師から説明をうけた上での手術などの)承諾」

The stockholders gave their **consent** to the proposed merger.
株主たちは合併案に承認を与えた。

高得点を狙う上級の

941 contradict
[kàntrədíkt/⊛ kòn-]

動 矛盾する
- 「反論する」という意味もある
- 名 contradiction「矛盾」
- 形 contradictory「矛盾した」

These two statements **contradict** each other.
それら2つの文書は互いに矛盾する。

942 deficit
[défəsit]

名 赤字
- 反 surplus「黒字」
- accumulated deficit「累積赤字」

The United States has a huge trade **deficit**.
アメリカ合衆国は莫大な貿易赤字を抱えている。

943 derive
[diráiv]

動 得る
- 「抽出する」という意味もある
- derive A from B「BからAを得る」

The company **derived** great benefit from the deal.
その会社はその取引から大きな利益を得た。

944 detect
[ditékt]

動 感知する
- 「気付く、見抜く」という意味もある
- 名 detection「発見」 名 detective「探偵」
- 名 detector「探知器」

This device is designed to **detect** smoke.
この装置は煙を感知するように作られています。

945 dimension
[dəménʃən, dai-]

名 寸法
- 「側面(=aspect)、次元」という意味もある
- 形 three-dimentional「3次元の」

I measured the **dimensions** of the room.
私は部屋の寸法を測った。

946 discipline
[dísəplin]

名 自制

「しつけ, 規律, 訓練, 学問分野」などの意味もある
動 discipline「しつける, 罰する, 自制する」
形 disciplinary「懲罰の」

You need **discipline** to work out regularly.
定期的に運動をするには自制が必要だ。

947 dispute
[dispjúːt]

名 論争

in dispute「論争中」
動 dispute「異議を唱える, 反論する」

The workers are in **dispute** with management over pay.
労働者は賃金に関して経営陣と論争中である。

948 distinct
[distíŋkt]

形 はっきり区別できる

「はっきりと見える, はっきりと聞こえる」などの意味もある 名 distinction「はっきりした違い, 卓越」
形 distinctive「独特の」

Our services fall into three **distinct** categories.
当社のサービスははっきり区別できる3つのカテゴリーに分類されます。

949 domain
[do(u)méin]

名 領域

「分野, 領地」などの意味もある
in the public domain「(著作権等の制約を受けず) だれでも利用できる状態」

This information is in the public **domain**.
この情報は公共の領域 (だれでも利用できる状態) にある。

950 eliminate
[ilímənèit]

動 削減する

「除去する, 取り除く」などの意味もある
名 elimination「排除, 消去」

The manufacturer has **eliminated** nine hundred jobs.
そのメーカーは900の雇用を削減した。

高得点を狙う上級の

951 eventually
[ivéntʃuəli]

副 ようやく
- 「最終的に」という意味もある
- 同 finally, at last「ようやく」
- 形 eventual「最終的な」

Eventually, we arrived at the hotel.
私たちはようやくホテルに着いた。

952 fluctuate
[flʌ́ktʃuèit]

動 変動する
- 同 vary「変動する」
- 名 fluctuation「変動」

The price of gold **fluctuates** dramatically.
金の価格は激しく変動する。

953 highlight
[háilàit]

動 明らかにする
- 「強調する, 目立たせる」などの意味もある
- 名 highlight「(催し物などの) ハイライト, 明るい部分」

The report **highlights** problems in the banking industry.
その記事は銀行業の問題を明らかにしている。

954 investigate
[invéstəgèit]

動 詳しく調べる
- 同 look into「詳しく調べる」
- 名 investigator「調査官」
- 名 investigation「調査」

We are **investigating** the cause of the accident.
私たちはその事故の原因について詳しく調べています。

955 markedly
[máːrkidli]

副 著しく
- 形 marked「著しい」(= noticeable)
- 動 mark「印を付ける, 採点する, 記念する」
- 名 mark「印, 跡, 目標」

His management style is **markedly** different from his predecessor's.
彼の経営スタイルは前任者のものと著しく異なる。

956 mature
[mət(j)úər/-tʃúər]

形 成熟した
- 「成長した, 満期になった」などの意味もある
- 反 immature「未熟な, 子供っぽい」 動 mature「成長する, 熟成する」 名 maturity「成熟, 満期」

Advertising is a **mature** industry.
広告業は成熟した産業だ。

957 moderately
[mάd(ə)rətli/mɔ́d-]

副 少し
- 「適度に, 穏やかに」という意味もある
- 形 moderate「穏やかな, 適度な, 穏健な」
- 動 moderate「加減する」
- 名 moderator「司会者」 名 moderation「節度」

We're only **moderately** affected by the recession.
当社は不況に少し影響を受けただけだ。

958 perspective
[pərspéktiv]

名 観点
- 「バランスのとれた見方, 遠近法」などの意味もある
- 同 viewpoint, point of view「観点」

Let's look at the problem from different **perspectives**.
その問題を別の観点から見てみましょう。

959 preserve
[prizə́ːrv]

動 守る
- 「保護する, 保存する」という意味もある
- 名 preservation「保存, 保護, 維持」
- 名 preservative「保存料」

They're trying to **preserve** their traditions.
彼らは伝統を守ろうとしている。

960 prestigious
[prestídʒiəs]

形 名誉ある
- 「一流の」という意味もある
- 名 prestige「名声, 威信」

Mr. Carey won a **prestigious** award three years ago.
キャリーさんは3年前に名誉ある賞を受賞した。

高得点を狙う上級の

961 principal
[prínsəp(ə)l]

形 主要な
- 同 main「主要な」
- 名 principal「校長, 社長」

Rail links connect the **principal** cities in the region.
鉄道網はその地域の主要都市を結んでいる。

962 prospect
[práspekt/⦿prɔ́s-]

名 可能性
- 「見通し」という意味もある
- 形 prospective「見込みのある」
- prospective customer「見込み客」

There are good **prospects** for growth in the service sector.
サービス業に成長の高い可能性がある。

963 reflect
[riflékt]

動 映す
- 「反映する, 反射する, 考える」などの意味もある
- 名 reflection「反射, 反映, 熟考」
- 形 reflective「反射する, 反映する, 思慮深い」

The mountains are **reflected** in the water.
水面に山が映っている。

964 reform
[rifɔ́ːrm]

名 改革
- 動 reform「改革する, 立ち直らせる」
- 注意「家の改修（リフォーム）」の意味はない
- 英語で「改修」は renovation

The government announced plans for economic **reform**.
政府は経済改革プランを発表した。

965 reinforce
[rìːinfɔ́ːrs]

動 強調する
- 「補強する, 増強する」という意味もある
- 名 reinforcement「補強, 援軍」

He used graphs to **reinforce** his point.
彼は論点を強調するためグラフを使った。

966 revolution
[rèvəlúːʃən]

名 革命

! 「回転」という意味もある
形 revolutionary「革命的な, 画期的な」
名 revolutionary「革命家」

The technological **revolution** has changed the business world.
技術革命がビジネスの世界を変えた。

967 trace
[treis]

動 跡をたどる

! 名 trace「跡」
形 traceable「跡をたどることができる」
名 traceability「トレーサビリティ」

We can **trace** food products from grower to consumer.
私たちは食料品を生産者から消費者までたどることができる。

968 undergo
[ʌ̀ndərgóu]

動 受ける

! 過 underwent　過分 undergone

The library **underwent** extensive renovations last year.
その図書館は昨年、大掛かりな改修が施された。

969 undertake
[ʌ̀ndərtéik]

動 取り組む

! 「始める, 約束する」などの意味もある
過 undertook　過分 undertaken
名 undertaking「事業, 約束」

The government is **undertaking** educational reforms.
政府は教育改革に取り組んでいる。

970 utility
[juːtíləti]

名 (電気・ガスなどの)公共料金

! 「電気, 水道, ガスなどのサービス, 実用性」などの意味もある

The rent includes all **utilities**.
家賃には公共料金が含まれます。

971 venture
[véntʃər]

名 ベンチャー企業
- 危険が伴う冒険的な事業のこと
- **動** venture「思い切って〜する」

Two firms formed a joint **venture** to provide new services.
2つの会社が新しいサービスを提供するため合弁のベンチャー企業を設立した。

972 prolonged
[prəlɔ́:ŋd/-lɔ́ŋd]

形 長時間にわたる
- **動** prolong「長引かせる」(=lengthen)

Prolonged exposure to the sun should be avoided.
長時間にわたる日光への露出は避けるべきである。

973 stimulate
[stímjulèit]

動 活性化する
- 「刺激する, 促す」などの意味もある **形** stimulating「刺激的な」
- **名** stimulation「刺激」 **名** stimulus「刺激」
- stimulus package「経済刺激策」

The government is trying to **stimulate** the economy.
政府は経済を活性化しようとしている。

974 accomplish
[əkámpliʃ/㊥əkɔ́m-]

動 なし遂げる
- **同** achieve「なし遂げる」 **形** accomplished「熟練した」 **名** accomplishment「成就, 偉業」(= achievement)

We have **accomplished** a lot this year.
私たちは今年多くのことをなし遂げました。

975 activate
[ǽktəvèit]

動 始動させる
- **形** active「活発な, 積極的な, 使える状態の」
- **副** actively「積極的に」
- **名** activity「活動」

Enter your password to **activate** your account.
アカウントを始動させるため、パスワードを入力してください。

976 caution
[kɔ́:ʃən]

名 注意
! 「警告」という意味もある
exercise caution, use caution「注意する」
形 cautious「注意深い」 副 cautiously「慎重に」

You must exercise **caution** when using this machine.
この機械を使うときは注意しなければならない。

977 collide
[kəláid]

動 衝突する
! 名 collision「衝突」

Two cars **collided** with each other.
2台の車が衝突した。

978 consecutive
[kənsékjutiv]

形 連続した
! 副 consecutively「連続して」

We've made a profit for seven **consecutive** years.
当社は7年連続で利益を出している。

979 detach
[ditǽtʃ]

動 取り外す
! 「距離を置く」という意味もある 反 attach「取り付ける」 形 detachable「取り外し可能な」
形 detached「距離を置いた」

The screen can be **detached** from the main unit.
スクリーンはメインユニットから取り外すことができます。

980 dilute
[dailú:t, di-, 英 -ljú:t]

動 薄める
! 形 dilute「薄められた」
名 dilution「薄めること」

I **diluted** the detergent with water.
私は洗剤を水で薄めた。

高得点を狙う上級の

120

981 disrupt
[disrʌ́pt]

動 乱す
! 「中断させる」という意味もある
名 disruption「途絶, 混乱」
形 disruptive「混乱を起こさせる, 破壊的な」

The maintenance work is **disrupting** traffic.
修理工事が交通を乱している。

982 emerge
[imə́ːrdʒ]

動 明らかになる
! 「現れる, 浮かび上がる」などの意味もある
名 emergence「出現, 浮上」
形 emerging「新興の」

It **emerged** that the company plans to close the factory.
その会社が工場を閉鎖する計画であることが明らかになった。

983 endeavor
[indévər]

名 試み
! 「努力」という意味もある 《イギリス英語》endeavour
動 endeavor「～しようと努力する」

We made every **endeavor** to restore consumer confidence.
私たちは消費者の信頼を回復させるためにあらゆる試みをした。

984 foresee
[fɔːrsíː]

動 予測する
! 形 foreseeable「予測できる」
foreseeable future「近未来」

I don't **foresee** any problems.
私は問題が起こるとは思わない。

985 interrupt
[ìntərʌ́pt]

動 邪魔をする
! 「中断させる, 話に割り込む」などの意味もある
名 interruption「妨害, 中断, 邪魔」

I'm sorry I **interrupted** your meeting.
ミーティングの邪魔をしてすみません。

986 pursue
[pərsúː/英 -sjúː]

動 進む
- 「追う, 続ける」などの意味もある
- 名 pursuit「追跡, 探求, 趣味」

Karen wanted to **pursue** a career in journalism.
カレンは報道関係の道に進みたかった。

987 resist
[rizíst]

動 拒否する
- 「抵抗する, 耐える」などの意味もある
- 名 resistance「抵抗, 反対」
- 形 resistant「抵抗力のある, 反対している」

I can't **resist** such an attractive offer.
そんな魅力的な申し出を私は拒否できない。

988 enthusiastic
[inθùːziǽstik/英 inθjùːzi-]

形 乗り気になっている
- 「熱心な, 熱狂的な」などの意味もある
- 名 enthusiasm「熱意, 情熱」
- 副 enthusiastically「熱狂的に」

They're really **enthusiastic** about the plans.
彼らはその計画にとても乗り気になっている。

989 incentive
[inséntiv]

名 誘因
- 「奨励, 報奨金, やる気を起こさせるもの」などの意味もある

The government provides tax **incentives** to encourage investment.
政府は投資を奨励するため、税制誘因(税制上の優遇措置)を行っている。

990 strive
[straiv]

動 努力する
- strive to ~「~するように努力する」

The company is **striving** for bigger profits.
その会社はより多くの利益を目指して努力している。

INDEX

A

a code of conduct ······ 124
a commercial transaction ············ 195
a couple of ··············· **67**
a few ······················· 89
a good number of ~ ···· 58
a great number of ~ ···· 58
a large amount of ~ ······ 73
a large number of ~ 58, 73, 186
a lot ······················ 162, 212
a lot of ·· 58, 73, 140, 144, 183, 186
a missing article ············ 24
a number of ··············· 175
a piece of furniture ······ 23
a pirate version ············ 72
a wide array of ~ ········· 67
a wide choice of ~ ········ 67
a wide range of ~ ········· 67
a wide selection of ~ ··· 67
a wide variety of ~ ········ 67
abandon ················· 192
ability ····················· 126
able ···················· 62, 126
able to~ ·················· 126
about ·············· 104, 143, 161
above ······················ 88
abroad ···················· 29, 128
absent ······················ **59**
absolute ··················· 176
absolutely ··············· **176**
accept ··············· 39, **51**, 107
acceptable ············· 51, 88
acceptance ················ 51
access ············· **81**, 202, 204
accessible ··············· 81

accident ···· 85, 93, 114, 160, 182, 208
accidental ················· 114
accidentally ············ 93, 114
accommodate ············ 194
accommodating ········· 194
accommodation ······ **194**
accompany ··············· **106**
accomplish ··········· 205, **212**
accomplished ············· 212
accomplishment ···· 205, 212
according ················· 43
according to ············ **43**
according to plan ········ 43
account ········ 89, 115, 204, 212
accountant ············· 33, 100
accounting ··········· **33**, 193
accounting manager ··· 193
accumulate ·········· **201**, 206
accumulated deficit ···· 206
accumulation ·············· 201
accumulative ·············· 201
accuracy ·················· 155
accurate ··················· **155**
accurately ···················155
achieve ··············· 205, 212
achievement ······ 147, 205, 212
acknowledge ············· **180**
acknowledgement ······ 180
acknowledge receipt of ~ ····················· 180
acquire ····················· **167**
acquisition ············· 167, 169
across ························ **47**
across from ··············· 47
act ·························· 103, 166
action ···················· 94, 197

activate ····················· **212**
active ······················ 212
actively ···················· 212
activity ······················ 212
actual ························ **76**
actually ··················· 61, 76
ad ·························· 202
ad campaign ············· 202
add ···························· 29
addition ············· 29, 134, 143
additional ·········· **29**, 91, 198
address ·········· 27, **35**, 42, 153
adjacent ···················· **201**
adjust ···················· 22, **70**
adjustable ·················· 70
adjustment ················ 70
administer ················ 192
administration ············ 192
administrative ·········· **192**
administrator ············· 192
admiration ················· 192
admire ····················· **192**
admirer ····················· 192
admission ················ **133**
admission fee ············ 133
admit ························ 133
adopt ······················· **204**
adoption ···················· 204
adult ························ 114
advance ················ 39, 40
advanced ··················· 39
advantage ················ **133**
advantageous ············ 133
advertise ···················· **48**
advertisement ····· 48, 76, 202
advertising ········ 48, 101, 114, 148, 209

advertising agency · · · · · · 48
advertising campaign · · · · ·
114, 148
advice · · 20, **28**, 48, 165, 174, 198
advisable · · · · · · · · · · · · 28, **174**
advise · · · · · · · · · · · · · · · · · 28, 174
adviser · 149
advisory · 28
advisory committee,
an · 28
affect · · · · · · · · · · · · 76, 96, 168, 209
afford · **79**
affordable · · · · · · · 32, 79, 90, 104
affordable prices · · · · · · · · · · 32
afraid · · · · · · · · · · · · · · · · · **66**, 163
after long
deliberation · · · · · · · · · · · · 116
against · · · · · · · · · · 70, 125, 148, 150
agency · · · · · · · · · · · 48, 101, **142**
agenda · · · · · · · · · · · · · · · · · · 20, **75**
agent · · · · · · · · · · · · · · · · 14, 142, 176
agree · **56**
agreeable · · · · · · · · · · · · · · · · · · · 56
agreed · 56
agreement · · · · · · · · · · · · · · 56, 202
agricultural · · · · · · · · · · · · 105, 129
agricultural chemical · 105
agriculture · · · · · · 90, **129**, 203
ahead · **136**
ahead of ~ · · · · · · · · · · · · · · · · · 136
aid · · · · · · · · · · · · · · · · · 140, **161**, 176
aim · · · · · · · · · · · · · · · · · · · 17, **114**
airfare · 194
all over the world · · · · · · · 177
all the time · · · · · · · · · · · · · · · · 75
allocate · · · · · · · · · · · · · · · · · · **205**
allocation · · · · · · · · · · · · · · · · · 205
allow · **87**
allowance · · · · · · · · · · · · · · · · · · 87
allow A to ~ · · · · · · · · · · · · · · · 87
almost · 127
along · 64
along with · · · · · · · · · · · · · · · · **64**
already · 148

alternate · · · · · · · · · · · · · · · · · · 151
alternative · · · · · · · · · · · · · · **151**
alternatively · · · · · · · · · · · · · · 151
although · · · · · · · · · · · · · · · 34, 144
always · 75
amaze · 147
amazed · · · · · · · · · · · · · · · · · · · 147
amazement · · · · · · · · · · · · · · · 147
amazing · · · · · · · · · · · · · · · · · **147**
amazingly · · · · · · · · · · · · · · · · 147
amend · 165
among · · · · · · · · · · · · · · · · 112, 142
amount · · · · · · · · · · · · · · **73**, 135
an advisory committee 28
an upright position · · · · · 19
analyses · · · · · · · · · · · · · · · · · · 120
analysis · · · · · · · · · · · · · · 24, **120**
analyst · 120
analytical · · · · · · · · · · · · · · · · · 120
analyze · · · · · · · · · · · · · · · · · · · 120
anniversary · · · **133**, 163, 205
announce · · · · · · · · · · 76, 169, 210
announcement · · · · · · · · · **76**
annual · · · · · · · · · · · · · · · · 13, **41**
annual meeting · · · · · · · · · · · 41
annual paid leave · · · · · · · · 41
annual report · · · · · · · · · · · · 13
annually · · · · · · · · · · · · · · 12, 41, 57
anticipate · · · · · · 141, 146, **171**
anticipation · · · · · · · · · · · · · · · 171
any longer · · · · · · · · · · · · · · · · 65
anytime · · · · · · · · · · · · · · · · · · · 75
apart · 143
apart from · · · · · · · · · · **134**, 143
apologize · · · · · · · · · · · · **142**, 178
apologize for · · · · · · · · · · · · · 142
apologize to · · · · · · · · · · · · · · 142
apology · · · · · · · · · · · · · · · · · · · 142
apparent · · · · · · · · · · · · · · · · · · · 87
apparently · · · · · · · · · · · · · 87, 182
appeal · · · · · · · · · · · · · · · · · · · **159**
appear · **87**
appearance · · · · · · · · · · · · · · · · 87
appliance · · · · · · · · · · · · · · · · **118**

appliance store · · · · · · · · · · · 118
applicant · · · · · · · · · 27, 31, 64, 130,
133, 155
application · · · · · · · · · · · 31, 52, 107
apply · · · · · · · · · · · · · **31**, 86, 131, 139
apply for · · · · · · · · · · · · · · · 86, 131
appoint · · · · · · · · · · · · · · · · · 48, 179
appointment · · · · **48**, 65, 102
appraisal · · · · · · · · · · · · · · · · · · 168
appreciate · · · · · · · · · · · · · · **150**
appreciation · · · · · · · · · · · · · · 150
appreciative · · · · · · · · · · · · · · 150
apprentice · · · · · · · · · · · · · · **185**
approach · · · · · · · · · · · · **118**, 204
approachable · · · · · · · · · · · · · 118
appropriate · · · · · · · · · · · · · **181**
appropriately · · · · · · · · · · · · · 181
approval · · · · · · · · · · · · · · · · · · · 76
approve · · · · · · · · · · · · · · · · · · · **76**
approximate · · · · · · · · · · · · · · 143
approximately · · · · · · · · · · **143**
approximation · · · · · · · · · · · · 143
architect · · · · · · · · · · · · · · · · **143**
architecture · · · · · · · · · · · · · · 143
area · · · · · · · · · · 84, 124, 153, 162, 194
area code · · · · · · · · · · · · · · · · · 124
argue · **174**
argument · · · · · · · · · · · · · · 170, 174
around · 140
around the world · · · · · · · 177
arrange · · · · · · · · · · · · · · · · · · · **33**
arrangement · · · · · · · · · · · 28, 33
array · 67
arrival · · · · · · · · · · · · · · · · · · 23, 58
arrive · · · · · · · 58, 98, 102, 130, 132,
159, 208
arrive · **23**
article · · · · · · · · · · · · 24, 87, 169, 196
artificial · · · · · · · · · · · · · · · · · **145**
artificially · · · · · · · · · · · · · · · · 145
as a consequence · · · · · · · 180
as a result · · · · · · · · · · · · · · 82, 180
as a whole · · · · · · · · · · · · · · · · 165
ASAP · 86

Index 217

ask for 35, 51	**attend** **17**, 25, 53, 89, 92, 178, 200	aware of ~ 113
aspect **172**, 206	attendance 17	away 149
assemble **101**	attendant 17	
assembly 101, 181	attendee 17	**B**
assembly line 101	**attention** **101**	baggage 65
assess 167, 168	attentive 101	**balance** **158**
assessment **167**, 168	**attire** **186**	ballroom 68
assign 119	**attitude** **106**	**ban** **166**, 203
assignment **119**	attitude to 106	bank 52
assist 36	attitude toward(s) 106	bank account 89
assistance 36, 51	**attract** 29, **57**	banking 208
assistant **36**, 43, 72, 192	attraction 57	banking industry 208
assistant manager 43	attractive 57, 215	**banquet** **68**
associate 104	**attribute** 120, **200**	base 183
association **104**, 121	attribute A to B 200	**based** **76**
as soon as 86	auction 85	based in ~ 76
as soon as possible **86**	**audience** **57**	based on ~ 76
assume **202**	audio 184	base salary 183
assumption 202	audio file 184	**basic** **63**, 185
assurance 157	audit 199	basically 63
assure **157**	**auditor** **199**	basics 63
assured 157	auditorium 18	be absent from~ 59
assuredly 157	**author** **70**	be bound to ~ 160
astonishing 163	authority 193	be capable of~ 116
at a glance 116	**authorization** **193**	be closed 41, 45
at a time 67	authorize 70, 193, 204	be composed of 152
at all times **75**	authorized 204	be dedicated to ~ing 185
at first 150	auto- 151	be delayed 81
at ~ intervals 155	automate 151	be doing 64
at last 208	**automated** **151**	be fond of ~ 130
at regular intervals 155	automatic 151	be held 14, 43, 68, 85, 182
at one's discretion 200	automatically 151	be interested in 19, 133
at ~'s disposal 180	automatic withdrawal 151	be leaning against 125
at the moment 89, 163	automobile 12, 58	be named in 162
athlete **157**	availability 14	be propped up against 125
athletic 157	**available** **13**, **14**, 163	be satisfied with 46
athletic meeting 157	**average** 57, **87**	be scheduled 13, 88
attach **75**, **98**	**avoid** **87**, 201, 212	**be supposed to** **130**
Attached is/are ~ 98	avoid ~ing 87	be sure to~ 26, 98
attachment 98	avoidance 87	because of 115
attain **205**	**award** 68, 85, 179, 209	bedside lamp 72
attainment 75, 205	**aware** **113**	before 102
attempt **172**	awareness 113	behalf 121
attempted 172		

behave ... **166**
behavior ... 166
behind ... 13, 168
behind schedule ... 13, 168
belief ... 85
belongings ... **119**
below ... 57
beneficial ... 80
benefit ... 70, **80**, 158, 183, 206
beside ... 143
besides ... 134, **143**
beverage ... 102
beyond ... **85**
beyond belief ... 85
beyond control ... 85
beyond description ... 85
beyond repair ... 85
bicycle ... 68, 125, 162
bill ... **27**, 102
biology ... 78
birth rates ... 170
board ... **16**, 76, 121, 201
board of directors ... 76, 121, 201
board of trustees ... 201
boarding pass ... 16
bonuses ... 183
book ... **31**, 36, 40, 78, 174
booking ... 31
booklet ... 62
boost ... **202**
border ... **175**
borderline ... 175
borrow ... **67**
both A and B ... 25
bottom ... 182
bound ... **160**
boundary ... 160
box office ... 14
branch ... **67**, 84, 93, 175, 177
branch manager ... 175
break ... **21**
breakable ... 21
bridge ... 37

brief ... 168, 170
briefly ... **168**
broad ... **113**
broadcast ... **151**
broadcasted ... 151
broadcaster ... 151
broaden ... 113
brochure ... **62**
budget ... **104**, 105, 180
bulk ... 99, **149**
bulletin ... 16
bulletin board ... 16
business ... **12**, 195
business hours ... 16
busy ... **16**
busy ~ing ... 16
but ... 125
buy ... 53
by accident ... 93, **114**
by all means ... 104
by bus ... 128
by car ... 128
by mistake ... **93**
by noon ... 173
by train ... 128

c

cabinet ... 127
cafeteria ... 180
calculate ... **125**
calculated ... 125
calculation ... 125
calculator ... 125
call ... 14
call off ... **43**, 98
calm ... 103
campaign ... 114, 148, 202
cancel ... 43, 96, **98**, 135, 142, 167, 204
cancellation ... 39, 98
candidate ... 31, 35, **133**, 134
can't afford ... 79, 106
capability ... 116
capable ... **116**

capacity ... 113, **132**
capital ... **79**
car ... 58
care ... 66
career ... **133**, 179, 215
carefully ... 63, 77, 171, 178
carry ... 34, 65, **66**, 75, 80, 118, 135, 181
carry out ... 34, 80, 181
case ... 88
cash ... 32
cash on delivery ... 32
casually ... 127
catalog ... 13
catch a train ... 160
category ... 207
cater ... 119
catering ... 119
cause ... **94**, 178, 182, 192, 199, 208
caution ... **213**
cautious ... 213
cautiously ... 213
celebrate ... **163**
celebration ... 163
cell phone ... 24, 63, 84
cellular phone ... 84
center ... 63
central ... 203
CEO ... 103
ceremony ... 45, 127, 178
certain ... 18, 109, 113, **138**
certainly ... 138, 152
chain ... 37, 44, 78, 169
chair ... **74**
chairperson ... 196
challenging ... **147**
chance ... 45
change ... 18, 82, 94, 156, 211
charge ... 28, 38, **46**, 173
charity ... 46, 85, 196
chat ... 99
cheap ... 27, 79, 104
check ... 88, 146, 154, 155, 204
chef ... 119

Index 219

chemical ...105
chemist ...105
chemistry ...78, 105
chemist's ...164
chairperson ...74
chief ...92, 103
chief executive ...92
chief executive officer 103
choice ...67, 89
chose ...35
circumstances ...159
city ...92, 94, 100, 210
city center ...63
civil ...77
civil engineer ...77
claim ...138, **172**
clarify ...**184**
clarity ...184
class ...131
clean ...189
clear ...115, 170, 182, 184
clerk ...**72**, 97
client ...12, 149
climb ...**65**
close ...26, 41, 45, 200, 214
clothes ...60, 186
clothing ...60, 153
club ...205
co- ...128
code ...**124**
code of conduct, a ...124
coffee beans ...60
coin ...187
coincide ...195
coincidence ...**195**
coincident ...195
cold ...164
cold medicine ...164
collapse ...**205**
colleague ...44, **60**, 115, 128
collect ...**74**, 108, 141
collection ...74
collective ...74
collide ...**213**

collision ...213
combination ...151
combine ...**151**
come by ...28
come up ...91
comfort ...147, 151
comfortable ...**147**
comfortably ...147
comfort with ...151
commemorate ...**205**
commemoration ...205
commencement ...129
comment ...**107**
comment on ...107
commerce ...91
commercial ...**91**, 195
commercial
 transaction, a ...195
commercially ...91
commission ...44, **189**
committed ...185
committee ...28, **44**, 49, 152
common ...**98**
commonly ...98
communicate ...64
communication ...**64**
communicative ...64
community ...**27**
commute ...**106**
commuter ...106
commuter train ...106
company ...12
comparative ...63
compare ...**63**
compare A to B ...63
compare A with B ...63
compared ...109
compared to ...109
compared with ...**109**
comparison ...63, 109
compensate ...**188**
compensation ...188
compete ...107
competition ...107, 172

competitive ...**107**
competitor ...107
complain ...138
complaint ...125, **138**, 172
complete ...**32**, 37, 79, 95, 119, 195
completely ...32, 36, 168
completion ...32
complex ...95, **184**
complexity ...184
compliance ...164
complicate ...95
complicated ...**95**, 184
complication ...95
compliment ...143
complimentary ...**143**
component ...**181**
compose ...152
comprehend ...172
comprehensible ...172
comprehension ...172
comprehensive ...**172**
compromise ...**201**
concentrate ...**185**
concentrated ...185
concentration ...185
concept ...**185**
conception ...185
conceptual ...185
conceptualize ...185
conceptually ...185
concern ...138, 161, 164
concerned ...**138**
concerning ...104, **161**
concert ...79
concise ...**170**
concisely ...170
conciseness ...170
conclude ...117
conclusion ...**117**
conclusive ...117
conclusive evidence ...117
condition ...**82**, 104, 148
conditional ...82

conditionally 82
conduct ... 26, **80**, 124, 140, 154
conductor 80
conference **14**, 23, 51, 63, 98, 106, 111, 114, 130
conference call 14
confess **195**
confession 195
confidence 131, 214
confident **131**
confidential 131, **202**
confidential document 202
confidentiality 202
confidentiality agreement 202
confirm **40**
confirmation 40
conflict **194**
confuse 171
confused 171
confusing **171**
confusion 171
congested **166**
congestion 162, 166
congratulate 143, 163
congratulation 143
congratulations **143**
connect **124**, 210
connection 124
conscious **195**
consciously 195
consciousness 195
consecutive **213**
consecutively 213
consent **205**
consequence **180**
consequent 180
consequently 180
consider **103**
consider ~ing 103
considerable 80, 103
considerably 103, 157
consideration 103

consist 37
consist of **152**
consistency 151
consistent **151**
consistently 151
constant **170**
constantly 170
constrain 202
constrained 202
constraint **202**, 204
construct 37
construction 34, **37**, 171, 183
construction site 34, 171
constructive 37
consult 47, 156
consultant **47**
consultation 47
consulting firm 156
consume 81
consumer 26, 80, **81**, 83, 211, 214
consumer preference 26, 80
consumption 81
contact **16**, 25
contain **104**, 145
container 104
contemporary 71, **154**
content 137, 178, **193**
contented 193
contentedly 193
continue 29, **66**, 126, 146
continued 66
continuous 66
continuously 66
contract **36**, 136, 184, 204
contractor 36
contractual 36
contradict **206**
contradiction 181, 206
contradictory 181, 206
contrary **181**
contrary to ~ 181

contrast **166**
contribute **112**, 118
contribution 112, 196
control 85
convenience 87, 151
convenient **87**
conveniently 80, 87
convention 14, **85**
conventional 85
conversation 53, **99**, 129
converse 99
convert **195**
convertible 195
convince **112**
convinced 112
convincing 112, 179
cooperate **114**
cooperation 104, 114
cooperative 114
coordinate **188**
coordination 188
coordinator 188
copy 71, 75, 187, 199
core **127**
core curriculum 127
corporate **49**
Corporate Social Responsibility 52
corporation 49
correct **80**, 155, 178
correction 80
corrective 80
correctly 80
correspond **188**
correspondence 188
correspondent 188
cost . **31**, 40, 72, 76, 107, 120, 138, 139, 144, 175
costly 31, 110
costume 60
couldn't afford 79
count 177
count on **177**
couple 67

Index 221

couple of, a ········· 67	customer satisfaction ·205	dedication ················185
coupon ················**141**	customer service ········78	**defect** ·····················**146**
courage ·················192	**customize** ················12	defective ············104, 146
course ···················103	**customs** ·················**145**	**defend** ·····················**174**
court ·····················141	cut ····················45, 107	defense ···················174
courtesy ···················13	cut off ·····················36	defensive ················174
courtesy visit ············13	cut taxes ··················77	**deficit** ····················**206**
cover ···············**40**, 64, 110	cutting ···················138	define ····················152
cover letter ··········40, 64	cutting edge ············138	definite ···················152
coverage ··················40	CV ·························27	**definitely** ···············**152**
co-worker ····60, 90, **128**, 196	**cycle** ······················**68**	definitive ·················152
create ···············**41**, 183	cycling ····················68	**degree** ················**56**, 130
creation ···················41	cyclist ·····················68	degree in business, a ······ 56, 130
creative ···················41		
creatively ·················41	**D**	**delay** ·················44, **81**, 94
credit ················90, **120**		deliberate ················116
credit card ················90	daily ············12, 95, 103, 139	**deliberately** ····93, 114, **116**
crew ····················**128**	daily routine ···············95	deliberation ···············116
crime ······················57	damage ············85, 187, 192	**delicious** ··················**67**
crime rate ·················57	dangerous ·················105	delight ···················179
crisis ····················186	data ················108, 110	**delighted** ················**179**
critic ·····················152	database ··················81	delightful ················179
critical ···················**152**	date ····················38, 94	**deliver** ················**32**, 157
critically ·················152	**deadline** ···················**81**	delivery ············29, 32, 46
criticize ··················152	deal ·······58, 93, 138, 160, 172, 206	**demand** ···············**140**, 189
crop ·····················**148**	dealt ······················58	demanding ············140, 147
cross ·····················**141**	**deal with** ············**58**, 138	**demonstrate** ············**105**
crossing ·················141	**debate** ····················**170**	demonstration ········46, 105
crowd ················141, 144	debt ···············144, 147, 201	**depart** ·····················**58**
crowded ··················**144**	**decade** ·····················**94**	**department** ······**15**, 22, 91, 101, 112
crucial ················152, 203	**decide** ·················**26**, 198	department head ········22
cruiser ···················193	deciding ··················101	department store ····15, 101
CSR ·······················52	deciding factor ··········101	departmental ··············15
cultural ··················186	decision ······26, 62, 63, 152, 169, 174, 175, 200	departure ··············23, 58
currency ················58, 59	**decline** ····················**170**	**depend** ···············**144**, 177
current ····················**34**	décor ····················142	depend on ················177
currently ············34, 113	**decorate** ··················**142**	dependable ··········144, 145
curriculum ··········27, 127	decoration ···············142	dependent ················144
curriculum vitae ········27	decorative ················142	dependent on ~ ··········144
custom ··················145	decorator ················142	**deposit** ····················**168**
customer ·······**12**, 17, 46, 74, 78, 125, 134, 137, 138, 144, 157, 205, 210	**decrease** ···········61, **78**, 170	**derive** ·····················**206**
	dedicate ··················185	derive A from B ·········206
customer information ··74	**dedicated** ················**185**	**describe** ···················**74**

description······74, 85
descriptive······74
desert······192
deserted······**192**
deserve······**174**
deserve to ~······174
design······**14**, 113, 206
desk clerk······72
despite······**126**
destination······**193**
detach······213
detail······**56**, 62, 197
detailed······56
detect······**206**
detection······206
detective······206
detector······206
detergent······213
determination······182
determine······**182**
determined······182
develop······**33**, 120
development······33, 188
device······206
devoted······185
diet······57
differ······25
difference······25
different······**25**, 134, 195, 197, 204, 208, 209
different from······25
differentiate······25
differently······25
difficult······147, 155
difficulty······32, **155**
diligence······200
diligent······**200**
diligently······200
dilute······**213**
dilution······213
dimension······**206**
dimentional······206
diner······12
direct······31

direction······**31**
directly······31, 81
director······31, 76, 121, 201
disadvantage······133
disappoint······135
disappointed······**135**
disappointing······135
disappointment······135
disapprove······76
disciplinary······207
discipline······**207**
discount······**28**, 114, 156
discretion······**200**
discretionary······200
discuss······12, **15**, 117
discussion······15, 153, 170
dish······176
dismiss······**116**
dismissal······116
display······57
disposal······79, 180
dispose······180
dispose of······**180**
dispute······186, **207**
disrupt······**214**
disruption······214
disruptive······214
distance······**72**
distant······72
distinct······**207**
distinction······207
distinctive······207
distinguish······**202**
distinguish A from B······202
distinguished······202
distribute······**50**, 73
distribution······50
distributor······50
disturb······**193**
disturbance······193
disturbed······193
disturbing······193
diverse······186
diversify······186

diversity······**186**
divide······**112**
division······15, 112
do business······12, 195
do overtime······73
doctor······194
doctor's appointment······48
document······17, **21**, 45, 154, 187, 189, 195, 202
doing······64
domain······**207**
domestic······25, 118
dominant······203
dominate······**203**
domination······203
donate······196
donation······**196**
don't hesitate to ~······139
double······**158**
downstairs······103
down the hallway······117
downtown······143
draft······66, **166**
drama······179
dramatic······**179**
dramatically······179, 208
draw······127, 131, 143
draw up······**127**, 143
drawing······150
dress······60, 127
dress code······124
driver's license······31, 119
drop by······28
drug······141
drugstore······164
due······**38**, 81
due date······38
due to······38, 81, 96, 115, 135, 200, 202
duplicate······**199**
duplication······199
durability······24
durable······24
duration······24

Index　223

during 24, 105, 185
duty 164

E

-en 177, 189
eager 119
eagerly 119
earlier 42
earn 73, 90
earn a living 73
earnings 73
economic 99, 186, 210
economic crisis 186
economic reform 210
economical 99
economically 99
economy 90, 99, 141, 175, 203, 212
edge 138
edgy 138
edit 49
edition 43
editor 49
editor in chief 49
editorial 49
educate 95
education 95
educational 95, 211
educational reforms 211
effect 76
effective 76, 176, 202
effectively 76, 134
effectiveness 76
efficiency 108
efficient 108
efficiently 108
effort 126, 173, 195
either 25
either A or B 25
elect 196
election 196
elector 196
electric 185
electronic 83

electronically 83
electronics 83
element 101, 175
elevator 88
eligibility 156
eligible 156
eliminate 207
elimination 207
e-mail 13, 42, 86, 153, 188
emerge 214
emergence 214
emergency 117
emergency exit 117
emergency room 117
emerging 214
emphasis 161
emphasize 92, 161
emphatic 161
emphatically 161
employ 12, 38, 155, 161
employee 12, 41, 53, 70, 83, 89, 124, 136, 161, 198
employer 12, 36, 66
employment 12
empty 127
en- 126, 181
enable 126
enable 〈人〉to 〈不定詞〉 126
enclose 75
enclosed 75
Enclosed is/are ～ 75
enclosure 75
encourage 82, 215
encouragement 82
endeavor 214
endeavour 214
energy 108, 139
energy efficient 108
engineer 77, 154, 187, 189
engineering 77
enhance 184, 202
enhancement 184
enjoy 58
enormous 148

enough 180
enquire 112
enrol 131
enroll 86, 131
enroll for 86
enroll in 86, 131
enroll on 86, 131
enrollment 131
ensure 181
enter 26, 106, 171, 172, 212
entertain 88
entertainer 88
entertaining 88
entertainment 88
enthusiasm 215
enthusiastic 215
enthusiastically 215
entire 165, 168
entirely 168
entitle 198
entrance 26, 200
envelope 29
environment 131, 185
environmental 111, 131
environmentalist 131
equal 146
equally 112, 146
equip 22
equipment 19, 22
ER 117
error 121
especially 168
essence 160
essential 108, 160
essentially 160
establish 109, 146, 156
established 109
establishment 109
estate 176
estimate 40, 76
estimation 40
European 69
evaluate 167, 168
evaluation 95, 168

evaluation system · 95
event · 88, 126, 163
even though · **144**
eventual · 208
eventually · **208**
evidence · 117, **182**, 192
evident · 182
evidently · 182
exact · 132
exactly · 90, **132**
exam · 62, 154
examination · 154
examine · **154**, 171
example · **64**
exceed · 199
excellence · 42
excellent · **42**, 67, 145
excellently · 42
except · 134, **139**
except for · 134, 139
exception · 139
exceptional · 139
exceptionally · 139
excess · 199
excessive · **199**
excessively · 199
exchange · **99**
excited · **62**
exciting · 62
exclude · 30, 158
exclusive · **158**
exclusively · 158
excuse · **68**
Excuse me · 68
executive · 92, 93, **103**
exercise · 95, 97, 213
exercise caution · 213
exhaust · 180
exhausted · **180**
exhaustion · 180
exhibit · **35**, 197
exhibition · 35, 52
exist · 184
existence · 184

existing · **184**
exit · 117
expand · **83**, 113
expansion · 83
expect · **15**, 56, 141, 146, 171
expectation · 15, 181
expecting · 15
expenditure · 94, 110
expense · **110**, 159
expensive · **27**, 110
experience · **32**, 74, 161
experienced · 32
experiment · **154**
experimental · 154
experimentally · 154
expert · **99**
expert at ~, an · 99
expert in ~, an · 99
expert on ~, an · 99
expertise · 99
expiration · 94
expiration date · 94
expire · **94**
expiry · 94
expiry date · 94
explain · 44, 56, **77**, 168, 185
explanation · 77, 170
explore · **184**
explorer · 184
export · 60, **69**
exporter · 69
expose · 185
exposed · **185**
exposure · 185, 212
express · **164**
express mail · 164
expression · 164
expressive · 164
extend · 99
extension · **99**
extensive · **175**, 211
extensively · 175
external · **198**
extra · 29, **91**

extract · **199**
extraction · 199
extremely · 148

F

-ful · 172
face to face · 56
facility · **41**, 106, 180, 184
fact · 61
factor · **101**, 175, 202
factory · 10, 26, **45**, 61, 80, 113, 151, 164, 214
fade · 185
fail · **136**
failure · 135, 136
fair · 182
fall into · 207
familiar · **100**
familiar to ~ · 100
familiar with ~ · 100
familiarity · 100
famous · 41, 162, 203
far · **57**
fare · 38
fascinate · 196
fascinated · 196
fascinating · **196**
fascination · 196
fashion · 50
fashion magazine · 50
fast · 165
fasten · **198**
fastener · 198
favor · 177
favorable · **177**
favorite · 177
feature · **52**, 197
fee · 38, 133, 172
feedback · **66**
feel free to~ · 139
female · 155
fence · 125
festival · 91, 100
few · 89

Index 225

field ... 74, 130
figure ... 47, **88**, 155, 162
file ... **45**
fill ... 37, 108, 132
fill in ... 37
fill out ... **37**, 108
filled to capacity ... 132
final ... **62**
final exam ... 62
final version, the ... 72
finalize ... 62
finally ... 50, 62, 208
finance ... 51, 132
finance minister ... 132
financial ... 32, 48, 50, **51**, 104, 159, 161, 172, 182, 198
financial advice ... 48
financial aid ... 161
financial assistance ... 51
financial condition ... 104
financial difficulties ... 32
financial institution ... 182
financial rewards ... 198
financial situation ... 159
financial statements ... 50
financially ... 51
find ... **31**, 101
find out ... 62
finding ... **152**
fine ... **112**
fine print, the ... 20
finish ... 30
fire ... 88, 110, 116
firm ... 12, 152, 156, 174, 179, 198, 205, 212
first anniversary ... 205
first priority ... 165
fit ... **48**
fitness ... 48
fitting room ... 62
fix ... 14, 31, 84
fixed cost ... 31
flavor ... 145
flaw ... 146

flexibility ... 167, 194
flexible ... **167**
flexible working hours ... 167
flexibly ... 167
flextime ... 167
flight ... 58, 81, 135
floor ... 88, 183
fluctuate ... **208**
fluctuation ... 208
fluency ... 160
fluent ... **160**
fluently ... 160
flyer ... 62
focus ... **111**
focus on ... 111
folder ... 116
follow ... **20**, 31
following ... 20
fond ... **130**
food products ... 69, 211
food storage ... 41
foot ... 128
for example ... 64, 97
for instance ... 97
for sale ... 20
for your information ... 98
force ... 161, **172**
forceful ... 172
forecast ... 43, 141, **146**, 171
foreign ... 13, **59**, 87, 99
foreign currency ... 59
foreign exchange ... 99
foreigner ... 59
foresee ... **214**
foreseeable ... 214
foreseeable future ... 214
forget ... 60
form ... 108, 198, 212
formal ... 127, 186
formally ... **127**
format ... 195
former ... **66**, 74, 96
former president ... 96

formerly ... 66
fortunately ... 163
forward ... 20
forward one's message ... 20
found ... 31, 101, 109, **156**
foundation ... 156
founder ... 156
fragile ... 21
free ... 139, 143
frequency ... 77
frequent ... 77
frequently ... **77**
fresh ... 127
fuel ... **139**
full ... 36, 93
full-time ... **70**
fully ... **36**, 151
function ... **175**
functional ... 175
fund ... 29, 51, **85**, 96, 126
fund-raising ... 85
furniture ... **23**, 154, 180
further ... 108
future ... 115, 152, 214

G

gain ... **69**
gallery ... 18, 60
garden ... 134
gather ... 74, **141**
gathering ... 141
gear ... 60
general ... **124**
generally ... 124
generate ... **183**
generosity ... 158
generous ... **158**
generously ... 158
genuine ... 50
get ... 69, 111
get a discount ... 28
get discounts ... 114
get rid of ... 180

226 Index

give a presentation ······ 21
give 〈人〉 a ride ············ 100
glad ······················· **69**
glance ···················· **116**
glasses ························ 19
global ················ 25, **175**
global warming ·········· 175
globally ···················· 175
globe ························ 175
go ahead ···················· 136
go on ~ing ·················· 200
go over ······················ 154
go through ················· 145
go with ······················ 106
goal ····················· 17, 114
good shape ················· 140
good number of ~, a ··· 58
goods ························ 171
govern ······················· 77
government ······ **77**, 95, 161, 162, 176, 182, 203, 210, 211, 212
government office ······· 161
governmental ·············· 77
governor ·········· 77, 178, 180
graduate ················ **129**
graduation ················· 129
grand ···················· **88**
grand opening ············· 88
grant ····················· **139**
graph ························ 210
graphic ················· 41, 173
grasp ························ 172
grateful ·················· **196**
great ····················· 42, 206
great number of ~, a ··· 58
greet ····················· **96**
greeting ····················· 96
grow ························· 165
grower ······················· 211
growth ················ 146, 210
guarantee ··················· 157
guess ····················· **72**
guest ····················· 12, 203
guest speaker ·············· 203

guide ························ 18
guideline ················ **137**
guidelines ··················· 137

H

half ·························· 128
half an hour ················ 128
hallway ····················· 117
halve ························ 158
hand ······················ **28**
hand in ················· 28, 52
hand out ················ 28, 73
handle ·············· **28**, 125
handling ···················· 28
handling charge ··········· 28
hang ······················ **73**
happen ······················ 160
happened ··················· 74
hard ························· 147
have a conversation ····· 99
have difficulty ~ing ···· 155
head ······················· **22**
headquarters ······· 67, **93**
health ······················· 199
healthy ······················ 129
heat wave ··················· 168
heavy ···················· 85, 94
heavy traffic ················ 94
helpful ··················· 97, 107
hesitant ····················· 139
hesitate ·················· **139**
hesitation ··················· 139
higher ················ 38, 76, 82
highlight ················· **208**
highly ················ 34, 76, 148
hire ················ **38**, 47, 155, 164
historian ···················· 47
historical ················ **47**
historical figure ··········· 47
historically ················· 47
history ······················ 47
hold ······················· **17**
hold a degree
  in business ··············· 56

holiday ··················· **23**
honest ······················· 50
honesty ······················ 102
honor ····················· **162**
honour ······················ 162
horticulture ················ 129
hospitable ·················· 164
hospitality ·············· **164**
hospitality industry ···· 164
host ······················· **100**
hotel clerk ··················· 97
hour ······················· **16**
hourly ······················· 16
housing ····················· 205
housing market ·········· 205
however ················· **125**
huge ············ 52, 93, **148**, 206
huge success ··············· 148
hugely ······················· 148
human ···················· **170**
human body ··············· 170
human resources ··· **89**, **91**
human resources
  department ·············· 91
human resources
  manager ··················· 91
hung ························· 73

I

I guess ······················· 72
I think ······················ 72
I was wondering if ······ 131
I wonder if you ········ **131**
I would be grateful
  if you would ~ ········ 196
ID ···························· 108
ideal ················ **132**, 134
ideally ······················· 132
identification ·········· 104, 108
identify ··················· **108**
illegal ·················· 112, 149
illustration ················· 150
I'm afraid ··················· 163
I'm not sure ················ 18

I'm wondering if ······· 131
image ···················· 49
imagination ············· 134
imaginative ············· 134
imagine ··················· **134**
immature ················ 209
immediate ············ **94**, 97
immediately ······· 33, 94, 147
immigration ············· 145
impact ···················· **186**
implement ··············· **181**
implementation ········· 181
implication ·············· 169
imply ················ 162, **169**
import ············· **60**, 69, 166
importance ············ 22, 92
important ··· **22**, 78, 101, 175
importantly ·············· 22
importer ·················· 60
impose ··················· **203**
impose a ban ············ 203
imposing ················ 203
imposition ·············· 203
impress ·················· 138
impressed ················ **138**
impression ·············· 138
impressive ·············· 138
improve ····· **42**, 131, 144, 159, 165, 202
improvement ······ 42, 50, 157
in a calm manner ········ 103
in a row ··················· 17
in accordance with ·· **164**
in addition to ········· 134, 143
in advance ············· **39**, 40
in association with ~ ·· 104
in bulk ················ 99, 149
in case ···················· 88
in case of ················· **88**
in charge of ········· **38**, 173
in common ··············· 98
in compliance with ····· 164
in cooperation with ···· 104
in debt ··················· 144

in detail ··················· 56
in dispute ················ 207
in fact ····················· **61**
in front of ············· 15, **21**
in honor of ~ ············· 162
in line ···················· 17
in my opinion ············ 119
in numerical order ····· 186
in one's spare time ······ 143
in particular ············· 168
in person ················· **35**
in phases ················ 144
in practice ··············· 165
in private ················ 129
in respect of~ ············ 108
in running order ········· 71
in size ··················· 146
in spite of~ ·············· 126
in stock ·················· 113
in the distance ············ 72
in the event of ~ ········· 88
in the public domain ·· 207
in transit ················ 187
in working order ········· 71
in writing ················· 35
inaccurate ······· 110, 155, 178
inappropriate ············ 181
incentive ················· **215**
include ···· **30**, 86, 194, 197, 211
including ·················· 30
inclusive ·················· 30
income ··················· **94**
inconvenience ········· **178**
inconvenient ············ 178
inconveniently ··········· 178
incorporate ··············· 49
incorporated ·············· 49
incorporation ············· 49
incorrect ················· **178**
incorrectly ··············· 178
increase ···· 13, **18**, 61, 95, 139, 169, 179, 202
increase in, an ············ 18
indicate ··················· **49**

indicated ················ 154
indication ················· 49
indicator ·················· 49
individual ················ **83**
individuality ·············· 83
individualized ············ 83
individually ··············· 83
industrial ·············· 24, 79
industrial waste ·········· 79
industrialize ·············· 24
industry ··· **24**, 65, 164, 208, 209
industry analysis ········· 24
inexpensive ······· 27, 79, 104
infer ·················· **162**, 169
inference ················ 162
inferior ··················· 173
influence ················· **96**
inform ··············**48**, 142, 156
inform〈人〉of ~········· 48
information ········ 48, 74, 98, 104, 153, 178, 185, 188, 204, 207
information technology ············· 185
informative ··············· 48
informed consent ······· 205
infrequently·············· 77
ingredient ··············· **116**
initial ················ 76, **139**
initially ·················· 139
initiate ··················· 139
injury ···················· 188
innovate ················· 120
innovation ··············· 120
innovative ··············· **120**
innovator ················ 120
inquire ··················· **112**
inquiry ··················· 112
insert ···················· **187**
insertion ················· 187
insight ···················· **196**
insightful ················ 196
inspect ··············· 154, 171
inspection ··············· 171
inspector ················ **171**

inspire ·········· **187**
inspiring ·········· 187
install ·········· **136**
installment ·········· 136
instance ·········· 97
instant ·········· **97**
instantly ·········· 97
instead ·········· **64**
instead of ~ ·········· 64
institute ·········· 182
institution ·········· **182**
institutional ·········· 102
instruct ·········· 77
instruction ·········· 31, **77**, 171, 198
instruction manual ·········· 171
instructor ·········· 188
instrument ·········· **70**
instrumental ·········· 70
insufficient ·········· 113, 180
insurance ·········· 118, **170**
insure ·········· 170
insurance policy ·········· 118, 170
intend ·········· **152**
intended ·········· 152
intense ·········· 200
intensity ·········· 200
intensive ·········· **200**
intensively ·········· 200
intention ·········· 152
intentional ·········· 116, 152
intentionally ·········· 93, 114, 116, 152
interact ·········· 197
interaction ·········· 197
interactive ·········· **197**
interest ·········· 19
interest rate ·········· 19
interested ·········· **19**, 133
interested in ·········· 19, 133
interesting ·········· 19, 24
intern ·········· 185
internal ·········· 198
international ·········· **25**, 51
international community ·········· 27

international conference ·········· 25, 51
internationally ·········· 25
Internet ·········· 126, 165
interpret ·········· 189
interrupt ·········· **214**
interruption ·········· 214
interval ·········· **155**
interview ·········· 35, **46**, 140
interviewee ·········· 46
interviewer ·········· 46
introduce ·········· **37**, 83, 181
introduction ·········· 37
invalid ·········· 119
invent ·········· **189**
invention ·········· 189
inventive ·········· 189
inventor ·········· 189
inventory ·········· 113, **162**
invest ·········· 52
investigate ·········· **208**
investigation ·········· 154, 208
investigator ·········· 208
investment ·········· **52**, 70, 215
investment bank ·········· 52
investor ·········· 52
invitation ·········· **45**
invite ·········· 45
invoice ·········· 27, **102**
involve ·········· **156**
involved ·········· 156
involvement ·········· 156
ir- ·········· 188
irrelevant ·········· 188
island ·········· 84, 132
isolated ·········· 204
issue ·········· 12, 15, **42**, 50, 79, 87, 111, 154
item ·········· **17**, 93, 146, 171
itemize ·········· 17
itinerary ·········· **197**

J

jam ·········· 166

jewelry ·········· 135
job fair ·········· 182
joint ·········· 212
journal ·········· **118**, 152
journalism ·········· 133, 215
journalist ·········· 107
journey ·········· **149**
judge ·········· 167, **176**
judgment ·········· 176
junior ·········· 93

K

keep track of ·········· 86
kind ·········· **22**
kindly ·········· 22
kindness ·········· 22
kitchen knife ·········· 53
kitchen knives ·········· 53
knife ·········· 53
knives ·········· 53
knowledge ·········· **53**, 175
knowledgeable ·········· 53

L

-less ·········· 43
lab ·········· 111
label ·········· **178**
labor ·········· 107, 161
labor costs ·········· 107
labor force ·········· 161
laboratory ·········· **111**
lack ·········· **96**
lack of ~ ·········· 96
ladder ·········· 150
lamp ·········· 72
land ·········· 129
language ·········· 59
large ·········· 114, 162, 186, 196, 203
large amount of ~, a ·········· 73
large number of ~, a ·········· 73, 186
large orders ·········· 28
last ·········· **30**, 57, 208

Index 229

lastly ·············· 30
late shift ············ 68
latest ············ 42, 72, 81
latest issue ·········· 42
launch ············ **114**
law ············ 87, 149
lead ············ **34**
leader ············ 34
leadership ·········· 34
leading ············ 34
leading authority ······ 193
leaflet ············ 62
lean against ······ **125**
lean over ·········· 125
leaning against ········ 150
learn ············ 59, 63, 116
lease ············ **148**
leave ······ **16**, 29, 41, 56, 71, 75, 98, 128
lecture ············ 58
lecture series ········ 58
led ············ 34
left ············ 16, 56
legal ············ 161, **149**
legal adviser ········ 149
legal aid ·········· 161
legalize ············ 149
legally ············ 149
lend ············ 67
length ············ **177**
lengthen ·········· 177, 212
let ············ **18**
letter ············ 40
level ············ **88**, 205
library ············ 211
license ············ 31, 119
lighthouse ·········· 202
likelihood ·········· 108
likely ············ 108
limit ············ 43
limited ············ **43**, 204
limited edition ········ 43
limitless ·········· 43
line ············ **17**, 61, 101

link ············ 130, **146**, 210
list ············ **37**, 172
listener ············ 57
listing ············ 37
load ············ **117**
loaded ············ 117
loan ············ 89
lobby ············ 72
local ······ 18, 27, 77, 79, 161, 164
local businesses ······ 79, 130
local community ········ 27
local government ······ 77
locate ············ 80
located ············ **80**
location ············ 80, 144
long ············ 177
long distance ·········· 72
longer ············ 65
look for ············ 49, 90, 100
look forward to ······ **20**
look forward to ~ing ··· 20
look into ·········· 208
lose patience ·········· 137
loss ············ 93
lot ············ 15, 58
lot, a ············ 212
lot of, a ········ 58, 73, 140, 144, 183, 186
lots of ············ 58
lower ············ 45
luck ············ 200
luggage ············ **65**
luxury ············ 189
luxury goods ·········· 189

M

M&A ············ 169
machine ········ 14, 63, 71, 125, 135, 213
machinery ·········· 135
made of ············ 65, 135
made repairs ·········· 188
magazine ······ 50, 89, 116, 118, 126
mail ············ **13**, 164

mailing ············ 13
mailing list ·········· 153
main ······ 127, 164, 200, 210, 213
maintain ············ 45, 184
maintenance ······ **45**, 214
major ············ **162**
majority ············ 162
make ············ 127
make a complaint ······ 138
make a decision ·· 62, 63, 200
make a deposit ········ 168
make a guess ·········· 72
make an inquiry ······ 112
make a profit ········ 213
make a reservation ······ 40
maker ············ 47
make sure ············ **26**, 181
malfunction ·········· 175
man-made ·········· 145
manage ············ **30**
manageable ·········· 30
management ······ 30, 44, 47, 152, 165, 184, 196, 207, 208
management committee ········ 44, 152
management consultant ········ 47
management structure ·········· 184
manager ······ 12, 30, 37, 43, 56, 91, 96, 127, 155, 159, 168, 175, 193, 194
managerial ·········· 30
manner ············ **103**
manners ············ 103
manual ············ 153, 171
manufacture ·········· 47
manufacturer ··· 32, **47**, 207
manufacturing ········ 47
many ············ 186
mark ············ 208
marked ············ 71, 208
markedly ············ **208**
market ······ 30, 34, 173, 203, 205

marketing ······ **30**, 145, 151
marketing
　department ············ 15
marketing strategy ···· 151
marketing team ········ 145
market research ········· 34
match ························· **146**
material ············ **39**, 114
materialize ··············· 39
matter ······················ 125
mature ······················ **209**
maturity ···················· 209
maximize ·················· 113
maximum ················ **113**
maybe ······················· 117
mayor ················ 50, **178**
means ············· 83, **104**
measure ······· **162**, 181, 206
measurement ············ 162
mechanical ············· **135**
mechanical failure ······ 135
mechanically ············· 135
media ······················ **126**
medical ···················· 141
medication ··············· 141
medicine ··········· **141**, 164
meet the deadline ······· 81
member ··············133, 156
memo ······················ 136
memorable ··············· **179**
memorandum ·········· **136**
memorize ················· 179
memory ·············130, 179
mention ···················· **41**
menu ························ 68
merchandise ············ **171**
merge ······················ 169
merger ····· 117, **169**, 180, 205
mergers and
　acquisitions ············ 169
message ···················· **20**
meter ······················ 187
method ············ **83**, 108
microphone ·············· 173

mid- ························ 128
middle ····················· **128**
might ······················ 124
mild ·························· **96**
mildly ······················· 96
miles away ················ 149
minimize ·················· 113
minimum ·················· 113
minister ···················· 132
minor ················125, 162
minority ··················· 162
minus ······················· 72
minutes ····················· 75
misplace ··················· 116
miss ···················83, 154
missing ················ 24, **83**
missing article, a ········ 24
mistake ······ 68, 80, 87, 93, 98
mobile phone ············· 84
model ················· 63, 113
moderate ·················· 209
moderately ··············· **209**
moderation ··············· 209
moderator ················ 209
modern ·············· **71**, 154
modernize ················· 71
modest ···················· **135**
modesty ··················· 135
modification ············· 165
modify ·············· **165**, 199
moment ········· **89**, 163, 179
monitor ··················· **158**
monitoring ··············· 158
monthly ················ **12**, 50
mop ························ 189
motorcycle ················ 85
mountain ············ 72, 210
move to ··················· 109
moving expenses ········ 159
much ········· 18, 38, 59, 135, 170
much higher ········· 38, 76
much time ················· 59
multiple ··················· **187**
multiplication ··········· 187

multiply ··················· 187
municipal ················· **182**
municipality ············· 182
museum ······· **18**, 35, 57, 131,
　139, 197
musical ················70, 196
mustn't ····················· 68
mutual ···················· **183**
mutual
　understanding ········ 183
mutually ··················· 183

N

name ······················· 162
national ················25, 57
national average ········· 57
national holiday ········· 23
nationwide ·········· 44, 177
nearby ····················· 194
necessary ················ **108**
necessity ·················· 108
negative ··················· 125
negotiable ················ 160
negotiate ·················· 160
negotiation ········ **160**, 201
negotiator ················ 160
neighbor ·················· 137
neighborhood ········· **137**
neighboring ·············· 137
neither A nor B ·········· 25
network ··················· 113
nevertheless ·············· 125
newsletter ················ 178
newspaper ··········118, 126
next to ~ ·················· 201
nice ························ 124
nicely ······················ **124**
no longer ················· **65**
no matter how ··········· 125
noise ························ 88
nominal ···················· 76
nominate ············ 48, **179**
nomination ··············· 179
non-smoking ············· 118

Index　231

normal ·················· 96
normally ·············· 25, **96**
northern ················ 84
northern region ·········· 84
not working ·············· 71
notable ················· 203
note ···················· **41**
noted ················ 41, 203
notice ············ **71**, 76, 82
noticeable ··············· 71
notification ············ 156
notify ················ 48, **156**
number · 58, 73, 99, 165, 175, 186
number of ··············· 13
numerical ·············· 186
numerous ·········· 70, **186**
numerously ············ 186
nutrition ··············· 199
nutritional ············ **199**
nutritionally ············ 199
nutritional value ········ 199
nutritious ·············· 199

O

object ················ 17, **169**
objection ··············· 169
objective ········ 17, 114, 169
objectively ············· 169
observation ············ 147
observatory ············ 147
observe ················ **147**
observer ··············· 147
obtain ·················· **111**
obtainable ············· 111
obvious ············ **115**, 182
obviously ·········· 115, 182
occasion ············ 140, 186
occasional ············· 140
occasionally ·········· **140**
occupancy ············· 183
occupation ············ 183
occupied ··············· 183
occupy ················· **183**

occur ···················· **160**
occurrence ············· 160
offensive ··············· 174
offer ········ 29, 43, 51, 67, 120, 158, 198, 215
office ··················· 161
officer ·················· 103
official ··················· **60**
officially ················ 60
often ···················· 77
omission ··············· 197
omit ···················· **197**
on average ··············· 87
on behalf of ············ **121**
on display ··············· **57**
on foot ·················· **128**
on holiday ··············· 23
on purpose ········ 93, 114, 116
on sale ···················· **20**
on the committee ········ 44
on the contrary ·········· 181
on the decrease ·········· 78
on the increase ··········· 18
on the wall ············ 21, 73
on the whole ··········· **165**
on time ················ 30, 98
on top of each other ···· 59
on vacation ·············· 23
ongoing ················· **200**
online ················· **23**, 86
online shopping ········· 23
open ········ 30, 38, 42, 60, 61, 62, 69, 88, 89, 139, 160
open to negotiation ···· 160
opening ············ **30**, 60, 89
operate ················ **44**, 113
operation ············ 44, 83
operational ··········· 12, 44
opinion ··············· 79, **119**
opportunity ··············· **45**
optimist ················ 115
optimistic ··············· **115**
option ···················· **89**
optional ················· 89

order ······· **15**, 17, 22, 28, 32, 71, 110, 134, 157
organization ············· 51
organize ············· **51**, 163
organized ··············· 51
organizer ················ 51
orient ·················· 124
orientation ············· **124**
origin ··················· 84
original ················· 84
originality ··············· 84
originally ················ **84**
originate ················ 84
otherwise ·············· **154**
Our headquarters are… ·················· 93
out of order ········· 15, **71**
out of service ············ 71
out of shape ············ 140
out of stock ············· 113
outdoor ················ 201
outlet ····················· **78**
outline ················· 113
outside ················· 199
outstanding ···· 85, 139, **147**
outstanding achievement ·········· 147
outweigh ··············· 145
overlook ················ **121**
overseas ·············· 67, **128**
oversee ················· 120
overtime ················· **73**
overview ··············· 124
overweight ············· 145
owe ······················ **115**
owing to ~ ·············· 115
own ····················· 12

P

pack ··················· 119
package ······ **36**, 86, 137, 158, 187, 212
paid holiday ············· 198
paid leave ··············· 41

painting········· 52, 150
pamphlet········· 62
panel········· **167**
panelist········· 167
paper········· 21, 32
paperwork········· **144**
paragraph········· **61**
parcel········· 36
park········· **15**
parking········· 15, 112, 187
parking lot········· 15, 58
parking meter········· 187
parts········· 181
part-time········· 70, 87
participant········· 17, 40
participate········· **40**
participation········· 40
particular········· **109**, 113, 138, 168
particularly········· 109, 168
partner········· 156
party········· 205
pass········· 73
pass out········· **73**
passenger········· 157
password········· 212
past········· **57**
patience········· **137**
patient········· 137
pay········· 207
pay attention to ~········· 101
payment········· 38, 139
per········· 198
perfect········· 132, **134**
perfection········· 134
perfectly········· 134
perform········· 39, 175
performance········· **39**, 168
performer········· 39
perhaps········· 117
period········· **89**
periodic········· 89
periodical········· 89, 118
periodically········· 89

permanent········· 101
permission········· 111
persist········· **203**
persistence········· **203**
persistent········· 203
person········· 35, 56
personal········· **56**, 119
personality········· 56
personalize········· 56
personally········· 56
personnel········· **89**, 91, 204
perspective········· **209**
persuade········· **179**
persuasion········· 179
persuasive········· 112, 179
pessimist········· 115
pessimistic········· 115
pharmaceutical········· 164
pharmacist········· 164
pharmacy········· **164**
phase········· **144**
phone········· 24, 63, 84
photo········· 150
photograph········· 150
photography········· 150
physical········· **97**, 194
physically········· 97
physician········· **97**, **194**
physicist········· 194
physics········· 78, 194
pick········· 80
pick up········· **80**, 131
pickup········· 80
picture········· 150
piece········· 23
piece of furniture, a········· 23
pile········· 59
pill········· 141
pirate········· 72
pirate version, a········· 72
pivot········· 203
pivotal········· **203**
place········· 15, **32**, 43, 132, 203

place an order········· 15
plan········· 56, 77, 83, 113, 127, 143, 210, 214, 215
plane········· 195
plant········· 52, **61**, 105
please········· 29
Please be advised that ~········· 41
please note········· 41
pleased········· **29**, 179
pleasing········· 29
pleasure········· 29
plenty········· 58, 186
plenty of········· **58**, 186
plumber········· **102**
plumbing········· 102
plus········· **72**
point········· 110, 153, 209, 210
point of view········· 209
point out········· **110**
point out A to ~········· 110
policy········· **118**, 170
polite········· **97**
politely········· 97
political········· **173**
political party········· 173
politically········· 173
politician········· 173
politics········· 173
poorly········· 64
popular········· **63**, 120, 193
popularity········· 63
popularly········· 63
population········· **97**
portion········· 182
portrait········· 150
position········· **19**, 31, 53, 105, 133, 156
positive········· **125**
positively········· 125
possess········· **197**
possession········· 197
possibility········· **117**, 204
possible········· 86, 108, 117

Index 233

possibly ... 117
post ... 13, 44, 100, 116
poster ... 91
postpone ... 43, 156
potential ... 134
potential customers ... 134
potentially ... 134
pour ... 97
pour A into B ... 97
power ... 53
power supply ... 36
practical ... 165
practically ... 165
practice ... 165
praise ... 145
precise ... 132
precisely ... 90, 132
precision ... 132
predecessor ... 208
predict ... 141, 146, 171
predictable ... 141
prediction ... 141, 146
prefer ... 24
prefer A to B ... 24, 86
preferable ... 24
preference ... 24, 26, 80
premise ... 169
premises ... 169
preparation ... 23
prepare ... 23
prepared ... 23
present ... 34, 44, 59
presentation ... 21, 23, 138, 201
preservation ... 209
preservative ... 209
preserve ... 209
president ... 19, 96, 98, 112, 145
press ... 63, 126
press conference ... 63
pressure ... 63
prestige ... 209
prestigious ... 209
prevent ... 171

prevent A from ~ing ... 171
prevention ... 171
preventive ... 171
previous ... 34, 66, 74
previous year ... 74
previously ... 74
price ... 38, 49, 78, 82, 90, 110, 194, 208
pricey ... 110
primarily ... 164
primary ... 164
prime ... 164
principal ... 210
print ... 20
printer ... 20, 124, 173
prior ... 82, 102
prior to ... 102
prioritize ... 165
priority ... 165
privacy ... 129
private ... 129
privately ... 129
prize ... 85
probability ... 108
probable ... 108
probably ... 108, 117
problem ... 58, 108, 126, 162, 163, 187, 199, 204, 208, 209, 214
problem area ... 108
procedural ... 89
procedure ... 89, 161
proceed ... 157
proceeding ... 157
proceeds ... 157
process ... 53, 107
processed ... 107
produce ... 12, 183
product ... 12, 32, 48, 66, 69, 81, 104, 105, 111, 113, 114, 120, 188, 211
product development ... 188
production ... 12, 53, 188
productive ... 12
productivity ... 82

professional ... 103, 157
profit ... 93, 112, 158, 213, 215
profitability ... 93
profitable ... 93
program ... 22, 120, 165, 176
progress ... 37, 158, 163
progress report ... 163
project ... 29, 32, 40, 62, 73, 96, 120, 160, 168, 183, 205
prolong ... 212
prolonged ... 212
prominent ... 203
prominently ... 203
promise ... 173
promising ... 173
promote ... 43, 48, 49
promotion ... 43, 51, 143, 174
promotional ... 51
prompt ... 197
promptly ... 84, 197
proof ... 182, 192
proof of purchase ... 192
prop ... 125, 150
prop up against ... 125
properly ... 125
property ... 110, 146, 176
proportion ... 155
proposal ... 39, 47, 49, 76, 107, 121, 148, 169
propose ... 39, 205
proposed ... 205
proposed merger ... 205
proposition ... 47
prospect ... 210
prospective ... 210
prospective customer ... 210
protect ... 153, 185
protected ... 153
protection ... 153
protective ... 153
protester ... 171
prove ... 192
provide ... 48, 161, 212, 215

provide 〈物〉 for 〈人〉 ···· 48
provide 〈人〉 with 〈物〉 ··· 48
provisional ················ 174
public ········· **38**, 92, 203, 207
public transportation ·· 92
publication ··············· 50
publicity ···················· 38
publicize ···················· 38
publicly ···················· 38
publish ··············· **50**, 152
publisher ··············· 50, 111
publishing ················· 50
publishing company ···· 49
punctual ················ **117**
punctuality ·········· 117, 159
punctually ················ 117
purchase ············ **53**, 192
purchasing ················ 53
purchasing power ········ 53
purpose ···· **17**, 93, 113, 114, 116
purposeful ················ 17
purposeless ··············· 17
pursue ···················· **215**
pursuit ····················· 215
push ························ 63
put off ··················· 43, 156
put on ················· 19, **26**

Q

qualification ············· 105
qualified ················· **105**
qualify ···················· 105
quality ··· **32**, 111, 114, 165, 184, 201
quality paper ············· 32
quantify ··················· 114
quantitative ·············· 114
quantity ················· **114**
quarter ···················· 161
question ··················· 95
questionnaire ······· 37, **95**
quick ······················ 84
quickly ············ 58, **84**, 165

quiet ·················· 137, 153
quit ··················· 75, 98
quite ··············· 116, 147, 173
quo ························ 110

R

radio ······················· 126
railing ····················· **129**
raise ····················· 79, 85
raise funds ················ 85
range ··················· **67**, 118
rank ·················· 108, **142**
rapid ······················ 165
rapidly ················ 84, **165**
rate ················ **38**, 57, 170
ratio ······················ 155
re- ························ 65
reach ········· 56, **84**, 117, 134
reach a conclusion ······ 117
real estate ··············· **176**
reason ················· **44**, 56
reasonable ···· 44, 79, **90**, 104
reasonably ················ 44
reasoned ··················· 44
reasoning ·················· 44
receipt ····················· 13
receive ······· **13**, 70, 102, 104, 125, 177
recent ····················· 34
recently ··········· **34**, 45, 129
reception ·········· 43, 68, **92**
receptionist ············ 38, 92
recession ············ 189, 209
recipe ······················ **86**
recipe for ～ ··············· 86
recipient ··················· 13
recognition ··············· 150
recognizable ············· 150
recognize ················ **150**
recommend ··············· **49**
recommendable ·········· 49
recommendation ········· 49
reconfirm ·················· 40

record ················· **25**, 182
recover ···················· 141
recruit ····················· **155**
recruitment ··············· 155
reduce ····· **45**, 152, 172, 174, 195
reduction ·················· 45
refer ························ **153**
refer to ················ 47, 153
reference ············· 49, 153
reflect ····················· **210**
reflection ················· 210
reflective ·················· 210
reform ················ **210**, 211
refresh ···················· 102
refreshing ················ 102
refreshment ············· **102**
refund ·············· 35, **93**, 159
refusal ···················· 107
refuse ················ **107**, 121
regard ····················· 104
regarding ············ **104**, 161
region ··· 80, **84**, 94, 148, 168, 210
regional ··············· 84, 180
register ········· 23, 42, 86, 131
register for ～ ········· 86, 131
registration ··············· **42**
regret ······················ **142**
regular ················ **63**, 155
regular business hours ·· 16
regularity ·················· 63
regularly ········ 34, 63, 97, 207
regulation ················ 164
reimburse ················· **159**
reimbursement ·········· 159
reinforce ·················· **210**
reject ······················· **121**
rejection ·················· 121
relate ····················· 130
related ····················· **130**
related field ·············· 130
related to ～ ··············· 130
relating to ················ 130
relation ··················· 130
relationship ·········· 130, 177

Index 235

relative · 177
relatively · **177**
relax · 106
relaxation · 106
relaxed · **106**
release · **82**
relevant · **188**
reliable · 90, 144, **145**, 178
relocate · **109**
relocate to 〈地名〉 · 109
relocation · 109
rely · **90**, 144, 145
rely on ～ · 90, 144, 145
remain · 24, **105**
remainder · 105, 135
remark · 163
remarkable · **163**
remarkably · 163
remember · **60**, 109
remember ～ing · 60
remember to 〈不定詞〉 · 60
remind · 60, **109**
reminder · 109
remote · **204**
remotely · 204
removal · 153
remove · **153**
renew · 31, **84**, 148
renewal · 84
renovate · **51**, 180
renovation · 51, 144, 200, 210, 211
renowned · 203
rent · **61**, 67, 148, 211
rental · 61
repaid · 89
repair · **14**, 85, 128, 157, 188
repeat · **68**
repeated · 68
repeatedly · 68
replace · **52**
replacement · 52
reply · 42, 86

report · **13**, 50, 80, 104, 121, 126, 163, 208
report to · 13
represent · 46
representation · 46
representative · **46**, 78
reputation · **111**
reputed · 111
request · **35**
require · **53**, 168, 186, 200
requirement · 53
reschedule · **65**
research · 26, 33, **34**, 47, 83, 111, 120, 126, 139
research grant · 139
researcher · 34, 152
reservation · **40**, 78, 98
reserve · 31, 40, **78**
reside · 153
resident · 153, 164
residential · **153**
resign · 75, **98**, 100, 132
resignation · 98
resigned · 132
resist · **215**
resistance · 215
resistant · 215
resolve · 187
resource · 89, 91
respect · **90**
respect for ～ · 90
respectable · 90
respectably · 90
respective · 108
respectively · **108**
respond · **42**
respondent · 42
response · 42, 177
responsibility · **52**, 173
responsible · 52, 166
responsible for · 38
rest · 105, **135**
restaurant · 49, 60, 144, 176
restoration · 110

restore · **110**, 214
restrict · 204
restricted · **204**
restriction · 202, 204
result · 44, 48, 82, 135, 145, 168, 172, 180, 181, 193
result from · 82
result in · **82**
resume · **201**
résumé · **27**, 64
retail · **111**
retail outlet · 78
retail store · 111
retailer · 111
retain · **182**
retention · 182
retire · 52, **75**, 98
retiree · 75
retirement · 75
return · **19**, 93
return one's call · 19
return trip · 19
revenue · 94
reverse · **198**
reverse side · 198
review · **49**, 104, 125
revise · **105**
revision · 105, 166
revolution · **211**
revolutionary · 211
reward · **198**
rewarding · 198
rich · 186
ride · **100**
right away · **33**
right now · 63, 149
rise · 92, 108, 109
risky · 70
rival · 169
road · 164
role · 203
rose · 92, 109
roughly · 146
round · **140**

routine ⋯⋯⋯⋯⋯ 45, **95**
routine maintenance ⋯ 45
routinely ⋯⋯⋯⋯⋯⋯ 95
row ⋯⋯⋯⋯⋯⋯⋯⋯ 17
run ⋯⋯⋯ 12, 33, 77, 155, 164, 197
run out ⋯⋯⋯⋯⋯⋯ 197
running ⋯⋯⋯⋯⋯⋯ 71
rush hour ⋯⋯⋯⋯⋯ 166

S

safe ⋯⋯⋯⋯⋯⋯⋯⋯ 52
safety ⋯ 92, 118, 137, 164, 170, 171
salary ⋯⋯⋯⋯⋯⋯ 177, 183
sale ⋯⋯⋯⋯⋯⋯⋯⋯ 20
sales ⋯⋯⋯ 18, 19, 30, 46, 61, 88, 109, 113, 126, 131, 144, 161, 169, 171, 179, 189, 202
sales conference ⋯⋯⋯ 14
sales figures ⋯⋯⋯⋯ 88
sales network ⋯⋯⋯ 113
sales report ⋯⋯⋯⋯ 13
sales representative ⋯⋯ 46
sales target ⋯⋯⋯⋯ 126
salesclerk ⋯⋯⋯⋯⋯ 72
sample ⋯⋯⋯⋯⋯⋯ **61**
satisfaction ⋯⋯ 46, 157, 205
satisfactory ⋯⋯⋯⋯ 46
satisfied ⋯⋯⋯⋯ **46**, 193
satisfied with ⋯⋯⋯ 46
satisfy ⋯⋯⋯⋯⋯⋯ 46
satisfying ⋯⋯⋯⋯⋯ 46
save ⋯⋯⋯⋯⋯⋯⋯ 182
scale ⋯⋯⋯⋯⋯⋯⋯ 145
schedule ⋯⋯ **13**, 47, 60, 88, 98, 136, 137, 156, 168, 174
scheduled ⋯⋯⋯⋯ 60, 88
scheduling ⋯⋯⋯⋯ 194
scheduling conflict ⋯⋯ 194
science ⋯⋯⋯⋯⋯⋯ **78**
scientific ⋯⋯⋯⋯⋯ 78
scientifically ⋯⋯⋯⋯ 78
scientist ⋯⋯⋯⋯ 78, 203
screen ⋯⋯⋯⋯⋯⋯ 213

sculpture ⋯⋯⋯⋯ 35, **150**
seal ⋯⋯⋯⋯⋯⋯⋯ **121**
search ⋯⋯⋯⋯⋯ **90**, 203
searching for a job ⋯ 203
seashell ⋯⋯⋯⋯⋯ 135
seat ⋯⋯⋯⋯⋯⋯ 105, 198
seat belt ⋯⋯⋯⋯⋯ 198
seated ⋯⋯⋯⋯⋯⋯ 105
second floor ⋯⋯⋯ 183
secret ⋯⋯⋯⋯⋯⋯ 202
secretary ⋯⋯⋯⋯ 109, 145
section ⋯⋯⋯⋯⋯⋯ 88
sector ⋯⋯⋯⋯⋯⋯ 210
secure ⋯⋯⋯⋯⋯⋯ 74
securely ⋯⋯⋯⋯ 74, 198
security ⋯⋯⋯⋯ **74**, 136, 181
seek ⋯⋯⋯⋯⋯ 90, **100**, 198
seek to ~ ⋯⋯⋯⋯ 100
seem ⋯⋯⋯⋯⋯⋯ **64**
seem to ⟨不定詞⟩ ⋯⋯⋯ 64
seem to ⟨人⟩ ⋯⋯⋯⋯ 64
seemingly ⋯⋯⋯⋯⋯ 64
select ⋯⋯⋯⋯⋯⋯ **35**
selection ⋯⋯⋯⋯ 35, 67
selective ⋯⋯⋯⋯⋯ 35
sell ⋯⋯⋯⋯⋯⋯ 66, 154
seminar ⋯⋯⋯⋯⋯ 95, 174
senior ⋯⋯⋯⋯⋯⋯ **93**
sense ⋯⋯⋯⋯⋯⋯ 173
sensible ⋯⋯⋯⋯⋯ 173
sensitive ⋯⋯⋯⋯⋯ **173**
sentence ⋯⋯⋯⋯⋯ 61
separate ⋯⋯⋯⋯⋯ **134**
separately ⋯⋯⋯⋯ 134
series ⋯⋯⋯⋯⋯ **58**, 154
series of ~ ⋯⋯⋯ 58, 154
serious ⋯⋯⋯⋯⋯ **71**, 180
seriously ⋯⋯⋯⋯⋯ 71
serve ⋯⋯⋯⋯ **75**, 102, 176
server ⋯⋯⋯⋯⋯⋯ 75
service ⋯⋯ 42, 46, 63, 67, 71, 75, 78, 85, 112, 119, 120, 137, 172, 177, 192, 207, 210, 212
service sector ⋯⋯⋯ 210

session ⋯⋯⋯⋯⋯⋯ 200
set up ⋯⋯⋯⋯⋯⋯ **39**
settle ⋯⋯⋯⋯⋯ 172, **186**
settlement ⋯⋯⋯⋯ 186
settler ⋯⋯⋯⋯⋯⋯ 186
several ⋯⋯⋯ 50, 79, 118, 161
severe ⋯⋯⋯⋯⋯⋯ **192**
severely ⋯⋯⋯⋯⋯ 192
shake ⋯⋯⋯⋯⋯⋯ **69**
shake hands ⋯⋯⋯⋯ 69
shape ⋯⋯⋯⋯⋯⋯ **140**
share ⋯⋯⋯⋯⋯ **71**, 112
sharp ⋯⋯⋯⋯ **90**, 132, 166
sharp contrast ⋯⋯⋯ 166
sharply ⋯⋯⋯⋯ 61, 90, 92
shift ⋯⋯⋯⋯⋯⋯⋯ **68**
ship ⋯⋯⋯⋯⋯⋯ **22**, 193
shipment ⋯⋯⋯ 22, 23, 134
shipping ⋯⋯⋯⋯ 23, 146
shipping cost ⋯⋯⋯ 144
shop assistant ⋯⋯⋯ 72
shopper ⋯⋯⋯⋯⋯ 12
short ⋯⋯⋯⋯⋯⋯⋯ 78
short of ~ ⋯⋯⋯⋯⋯ 78
shortage ⋯⋯⋯⋯⋯ 96
shorten ⋯⋯⋯⋯⋯⋯ 78
shorter ⋯⋯⋯⋯⋯⋯ 92
shortly ⋯⋯⋯⋯⋯⋯ **78**
sick ⋯⋯⋯⋯⋯⋯⋯ 16
sick leave ⋯⋯⋯⋯⋯ 16
side ⋯⋯⋯⋯⋯⋯⋯ 172
side by side ⋯⋯⋯⋯ **56**
sight ⋯⋯⋯⋯⋯⋯⋯ 59
sightseeing ⋯⋯⋯⋯ **59**
sights, the ⋯⋯⋯⋯⋯ 59
sign ⋯⋯⋯⋯ **21**, 36, 86, 131
sign up for ⋯⋯⋯ **86**, 131
signature ⋯⋯⋯⋯⋯ 21
significance ⋯⋯⋯⋯ 157
significant ⋯⋯⋯⋯ **157**
significantly ⋯⋯⋯ 103, 157
signify ⋯⋯⋯⋯⋯⋯ 157
similar ⋯⋯⋯⋯⋯⋯ **136**
similarity ⋯⋯⋯⋯⋯ 136

Index 237

similarly ··· 136	spent ··· 73	**store** ··· 29, 83, 101, 111, 118, 162
simple ··· 163	spite ··· 126	storehouse ··· 148
sincere ··· 50	**sponsor** ··· **79**	storeroom ··· 148
sincerely ··· **50**	sponsorship ··· 79	strategy ··· 151
sincerity ··· 50	stability ··· 161	**strength** ··· **194**
sink ··· 102	stabilize ··· 161	strengthen ··· 189, 194
site ··· 34, 171	**stable** ··· **161**	**stress** ··· **92**, 161
situate ··· 159, 175	**stack** ··· **59**	**strict** ··· 118, 124, **159**
situated ··· 80, 159	staff ··· 89, 161, 164	strictly ··· 159
situation ··· **159**, 167	stainless ··· 65	strictly speaking ··· 159
skill ··· 63, 64, 116, 197	stainless steel ··· 65	stringent ··· 159
slight ··· 204	stairs ··· 65, 103	**strive** ··· **215**
slightly ··· 96	**standard** ··· **118**	strive to~ ··· 215
slow ··· 137	standards ··· 118	strong ··· 194
slowdown ··· 175	state ··· 50, 117	structure ··· 184
slowly ··· 37	state of emergency, the ··· 117	**stuck** ··· **149**
small business ··· 149	stated ··· 154	**study** ··· **26**
small print, the ··· 20	**statement** ··· **50**, 206	style ··· 208
smoke ··· 206	statistical ··· 178	subject ··· 82, 130
smoking ··· 118, 203	statistically ··· 178	**subject to** ··· **82**
social ··· **173**	**statistics** ··· **178**	subjective ··· 82
socialize ··· 173	**status** ··· **110**	submission ··· 52
society ··· 78, 173	status quo ··· 110	**submit** ··· **52**
software ··· 72, 100, 184	**stay** ··· **24**, 105	**subscribe** ··· **107**
solution ··· **163**, 187	stay healthy ··· 129	subscribe to ··· 107
solve ··· 163, **187**	**steadily** ··· **169**	subscriber ··· 107
soon ··· 78	steady ··· 161, 163, 169	subscription ··· 107
sort ··· 22	**steel** ··· **65**	substantially ··· 103, 157
source ··· 94	steel industry ··· 65	**substitute** ··· **183**
spare ··· 143	step ··· 100, 162	substitution ··· 183
spare time ··· 143	**step down** ··· **100**	succeed ··· 34
special ··· 51, 53	still ··· 96, 140, 144, 160	success ··· 34, 91, 97, 115, 148, 160, 165, 192, 200
specialist ··· 53	**stimulate** ··· **212**	**successful** ··· **34**
specialize ··· **53**	stimulating ··· 212	successfully ··· 34
specialized ··· 53	stimulation ··· 212	such ··· 215
specific ··· 109, **113**	stimulus ··· 212	sudden ··· 132
specifically ··· 113	stimulus package ··· 212	**suddenly** ··· **132**
specification ··· 113	**stock** ··· 79, 99, **113**, 162	**sufficient** ··· **180**
specified ··· 154	stock exchange ··· 99	sufficiently ··· 180
spectator ··· 57	stockholder ··· 205	suggest ··· 47
spelling ··· 98	**stop by** ··· **28**	**suggestion** ··· **47**, 50, 151
spelling mistake ··· 98	stop-by ··· 28	suit ··· 91, 146
spend ··· 87, 95	storage ··· 29, 41	suitability ··· 91
spending ··· 95		

suitable ... **91**
suitably ... 91
suitcase ... 136
sum ... 153
sum up ... 153
summarize ... **153**
summary ... 27, 153
sunlight ... 185
superb ... 42
superior ... **173**
superior to ... 173
supermarket ... 47, 169
supervise ... **120**
supervision ... 120
supervisor ... 120, 129, 158, 168
supervisory ... 120
supplement ... **183**
supplementary ... 183
supplier ... 36, 39
supply ... **29, 36**, 170
supply room ... 29
support ... **46**, 50, 173
supportive ... 46
suppose ... 130
sure ... **18**, 98, 138, 181
surely ... 18
surgeon ... 194
surplus ... 206
surprise ... 27
surprised ... **27**
surprising ... 27
surprisingly ... 27, 163
surround ... 194
surrounding ... **194**
surroundings ... 194
survey ... **26, 33**, 80, 82, 157, 168
survey result ... 168
survival ... 176
survive ... **176**
survivor ... 176
suspend ... **188**
suspension ... 188
sweep ... **189**
system ... 95, 133, 136, 166

T

table of contents ... 137
tablet ... 141
tackle ... 162
take a break ... 21
take advantage of ~ ... 133
take care of ... 28
take ~ for granted ... 139
take-off ... 105
take off ... 19, 26
take one's message ... 70
take out ... 170
take part in ... 33, 40
take place ... **43**
take your order ... 15
talk about ... 15
target ... 17, 114, 126
tasty ... 67
tax ... 72, 77, **126**, 215
taxation ... 126
team member ... 37, 114, 187
technical ... 101
technically ... 101
technician ... 101, 185, 188
technique ... **101**
technological ... 81, 211
technological revolution ... 211
technologically ... 81
technology ... 78, **81**, 185, 189
television ... 126
temperature ... 56, 121
template ... 199
temporarily ... 17, 101, 166
temporary ... **101**
ten years ... 94
tentative ... **174**
tentatively ... 174
term ... 184
terminal ... 58, 204
terminate ... **204**
termination ... 204
terms of my contract ... 184

test ... 154
thanks to ... 115
thank you for ... 50, 164
thank you for ~ing ... 46
the final version ... 72
the sights ... 59
the state of emergency ... 117
the venue for the event ... 98
theater ... 162
theme ... 53, **130**
think ... 72
thorough ... **154**, 172
thoroughly ... 154
though ... 144
three-dimentional ... 206
tie ... **130**, 146
tight ... 74, **137**
tight schedule ... 137
tighten ... 137
tightly ... 137
time constraints ... 202
time is running out ... 197
time management ... 165, 196
tip ... **129**
tips ... 129
tired ... 180
toll ... 38
tool ... 65
top of each other ... 59
top priority ... 165
topic ... **53**, 130
topical ... 53
total ... **37**, 73
total amount ... 73
totally ... 37
tour ... **18**, 29, 149
tourism ... 18, 29, 94
tourist ... 13, 18, **29**, 193
tourist destination ... 193
toward ... 92
trace ... **211**
traceability ... 211
traceable ... 211

Index 239

track ... 86
trade ... 118, 146, 206
trade deficit ... 206
trade journal ... 118
tradition ... 176, 209
traditional ... 176
traditionally ... 176
traffic ... 85, 88, 94, 149, 162, 166, 214
traffic accident ... 85
traffic congestion ... 162, 166
traffic jam ... 166
training ... 38, 120, 165, 200
training program ... 165
training session ... 200
transact ... 195
transaction ... 195
transfer ... 95
transfer ... 95
transit ... 187
translate ... 189
translation ... 189
translator ... 189
transport ... 92, 187
transportation ... 92, 187
travel ... 14, , 110, 143, 149, 170
travel agent ... 14
travel agency ... 142
travel expenses ... 110
travel industry ... 24
travel insurance ... 170
traveler ... 14
treat ... 83
trend ... 92
trip ... 19, 149, 204
triple ... 158
trouble ... 126
troublesome ... 126
truck ... 117
true story ... 76
trust ... 102
trustee ... 201
trustworthy ... 102
try ... 62, 172

try on ... 62
turn down ... 121
turn off ... 24, **29**
turn on ... 29
twentieth anniversary, the ... 133
type ... 22
typical ... 121
typical of ~ ... 121
typically ... 121

U

un- ... 62
unable ... 62
unable to ~ ... 62
unavailable ... 14, 17
under construction ... 37
under negotiation ... 160
under repair ... 14
under warranty ... 157
undergo ... 211
undergone ... 211
understand ... 172, 177, 183
undertake ... 211
undertaken ... 211
undertaking ... 211
undertook ... 211
underwent ... 211
unemployment ... 108
unfairly ... 116
unfortunate ... 163
unfortunately ... 163
uniform ... 60
unique ... 135
unit ... 213
university ... 129, 161
unlawful ... 149
unless ... 154
unless otherwise indicated ... 154
unless otherwise specified ... 154
unless otherwise stated ... 154

unload ... 117
unoccupied ... 59
unstable ... 161
until ... 66
unusually ... 25
upcoming ... 91
update ... 103
upgrade ... 106
upright ... 19
upright position, an ... 19
upstairs ... 103
urge ... 167
urge A to ~ ... 167
urgent ... 162
use caution ... 213
usual ... 25
usually ... 25, 96
utility ... 211

V

vacancy ... 59
vacant ... 59
vacation ... 23, 132
valid ... 119, 172
validate ... 119
valuable ... 92
valuables ... 92
value ... 92, 199
valued ... 92
variable ... 31
variable cost ... 31
variation ... 120
variety ... 66, 67, 120, 186
variety of ... 66
various ... 101, 120
vary ... 120, 144, 208
vegetable ... 57
vehicle ... 58
vehicle currency ... 58
venture ... 212
venue ... 98
venue for ... 98
verify ... 204

version ········ 72	**wear** ········ **19**, 60, 153	work out ········ 207
very ········ 148	weather ········ 43, 81, 82, 146	work overtime ········ 73
vessel ········ **193**	weather conditions ········ 82	worker ········ 89, 91, 180, 200, 207
vice president ········ 19	weather forecast ········ 43, 146	workers ········ 89, 91
view ········ **79**, 119, 209	wedding anniversary ········ 133	**workforce** ········ 152, **161**, 174
viewer ········ 57	weekly ········ 12	working ········ 71, 97, 167
viewpoint ········ 209	**weigh** ········ **145**	working hours ········ 92
visa ········ 107	weight ········ 69, 145, 195	working population ········ 97
visa application ········ 107	**welcome** ········ **50**	workplace ········ 92
visible ········ **149**	Welcome to ~ ········ 50	workshop ········ 17, 24, 53, 86, 147
visibly ········ 149	well in advance ········ 40	world ········ 177
vision ········ **115**, 149	well-known ········ 27, 203	**worldwide** ········ **177**
visit ········ 13	wheat ········ 148	worried ········ 138
visitor ········ **13**, 15, 18, 29, 57	**whereas** ········ **159**	**worth** ········ **131**
visual ········ **140**	**whether** ········ **125**	worth ~ing ········ 131
visualization ········ 140	while ········ 24, 188, 193	worthless ········ 131
visualize ········ 140	whole ········ 165, 168	worthy ········ 131
visually ········ 140	wholesale ········ 111	would be glad to ~ ········ 69
vitae ········ 27	wholesaler ········ 111	would like ········ 12
vital ········ 108, 203	wide ········ 67	would like to ········ 40, 61, 65,
volume ········ 70	wide array of ~, a ········ 67	76, 98, 119, 131, 184
volunteer ········ **150**	wide choice of ~, a ········ 67	would love to ········ 147
vote ········ **148**	wide range of, a ········ 67	**would rather** ········ **86**
vote against ~ ········ 148	wide selection of ~, a ········ 67	would rather A than B ········ 86
vote for ~ ········ 148	wide variety of ~, a ········ 67	**would you**
vote on ~ ········ 148	widely ········ 48	**mind (~ing?)** ········ **69**
voter ········ 148	widen ········ 113	wrap up ········ 153
voucher ········ 141	will be glad to ~ ········ 69	write ········ 127
voyage ········ 149	win ········ 209	writer ········ 47, 70
	win the contract ········ 136	writing ········ 35
	wipe ········ 189	wrong decision ········ 169
W	**wish** ········ **127**	
warehouse ········ **148**	wish to ~ ········ 127	**Y**
warm ········ 147, 175	wishful ········ 127	yacht ········ 193
warn ········ **70**	wishful thinking ········ 127	yearly ········ 12, 41
warning ········ 70	with regard to ········ 104	young adult ········ 114
warranty ········ **157**	**withdraw** ········ **115**	
waste ········ **79**	withdrawal ········ 115, 151	
waste disposal ········ 79	withdrawn ········ 115	
waste of time ········ 79	withdrew ········ 115	
way ········ 83	within ········ 22, 32, 158	
weak ········ 189	wonder ········ 131	
weaken ········ **189**	wonderful ········ 42	
weakness ········ 189	wondering ········ 131	

著者

神崎 正哉 (かんざき まさや)

1967年生まれ。神田外語大学講師。東京水産大学(現・東京海洋大学)海洋環境工学科卒。テンプル大学大学院修士課程修了(英語教授法)。TOEIC®は2000年5月よりほぼ毎回受け続け、TOEIC®の最新傾向を分析・研究している。TOEICの出題問題予想の正確性は他を圧倒してる。TOEIC受験者をサポートするブログ(TOEIC Blitz Blog　http://toeicblog.blog22.fc2.com/)を運営。

著書の『新TOEIC®TEST「正解」一直線』(IBCパブリッシング)は、改訂版とあわせて2万5000部を突破し、共著の『TOEIC®テスト 新・最強トリプル模試』(ジャパンタイムズ)シリーズ(3冊)は、合計15万部を売り上げた。ほかに、多くのTOEIC書籍を執筆。専門家からの評価も高い。

監修者

鶴岡 公幸 (つるおか ともゆき)

　宮城大学食産業学部准教授。日本におけるTOEIC®実施・運営団体である㈶国際ビジネスコミュニケーション協会に長年勤務した後、KPMGあずさ監査法人勤務を経て、2005年4月より現職。『TOEIC®Test「正解」が見える』(講談社インターナショナル)の編集にも協力し、14万部のヒットに貢献した。

新 TOEIC®TEST 出る順で学ぶ ボキャブラリー 990

2009年4月9日　第1刷発行
2013年5月2日　第14刷発行

著者　　　　　　　神崎正哉
© Masaya Kanzaki 2009, Printed in Japan

発行者　　　　　　鈴木　哲
発行所　　　　　　株式会社　講談社
　　　　　　　　　東京都文京区音羽2-12-21　〒112-8001
　　　　　　　電話　出版部 03-5395-3532
　　　　　　　　　　販売部 03-5395-3622
　　　　　　　　　　業務部 03-5395-3615

装幀・デザイン　　コン トヨコ
印刷所　　　　　　大日本印刷株式会社
製本所　　　　　　株式会社国宝社

落丁本・乱丁本は購入書店名を明記のうえ、小社業務部あてにお送りください。
送料小社負担にてお取り替えいたします。
なお、この本の内容についてのお問い合わせは、生活文化第三出版部あてにお願いいたします。
ISBN 978-4-06-215405-5
本書のコピー、スキャン、デジタル化等の無断複製は著作権法上での例外を除き禁じられています。本書を代行業者等の第三者に依頼してスキャンやデジタル化することはたとえ個人や家庭内の利用でも著作権法違反です。

講談社の好評既刊

鬼塚俊宏
「紙」と「ペン」だけで1億稼ぐ仕事術
絶対相手にYESと言わせる「魔法のセールスレター」

3000万円の借金生活から「セールスコピー」ひとつで億万長者に! 好きなときに好きなだけ稼ぐ人の思考法とノウハウを初公開

1470円

岸 英光
弱音を吐いていいんだよ

「つらい」「不安だ」と言う子どもに、どう応えますか? 心配はいりません。弱音を吐ける子どもこそ、伸びる可能性があるんですから

1365円

山田恵子
生命(いのち)の羅針盤
医師である娘が末期がんの父を看取るとき

医療とは何か、生命とは何か。大切な人に今あなたができることは何か。医師の視点と娘の目線。両方の視線から問いかける問題作!

1470円

一ノ宮美成＋グループ・K21
橋下「大阪改革」の正体

テレビが生んだ「怪物」はなぜ詭弁と恫喝をくり返すのか? 自己責任を名目に弱者を追い込む"独裁"知事の描く悪夢のシナリオ!

1680円

松藤民輔
超・投資勉強法
「動乱の時代」に金運を摑む人、摑めない人

金融恐慌のいま、もはや平時の投資法・勉強法は通用しない。何を学び、どう仕掛けるべきか。カリスマが実践する非常識な成功法則!

1680円

親野智可等
「共感力」で決まる!
「しつけ優先」から「許す」子育てへの発想転換

受け入れることから始めれば、子育てはこんなにも楽しくなる! 不安や疑問を一掃し、叱らずにわが子のやる気を伸ばす新ルール15

1365円

定価は税込み(5%)です。定価は変更することがあります。